CW00420189

IL NE FAIT JAMAIS NOIR EN VILLE

DU MÊME AUTEUR

Attention fragiles (prix du roman jeunesse France Télévisions), Le Seuil, 2000.

Le ciel est immense, Le Relié, 2002.

Une poignée d'argile, Thierry Magnier, 2003.

La Théorie du chien perché, Thierry Magnier, 2003 ; Babel n° 1148.

Le Quatrième Soupirail (prix Sorcières – catégorie romans ados), Thierry Magnier, 2004.

Un simple viol, Grasset, 2004.

Les Encombrants (prix de la nouvelle francophone Nanterre), Thierry Magnier, 2007 ; Babel n° 1056.

Et tu te soumettras à la loi de ton père, Thierry Magnier, 2008.

La Tête en friche (prix Inter-CE, prix CEZAM, prix des Lycéens allemands), Le Rouergue, 2008.

Il ne fait jamais noir en ville, Thierry Magnier, 2010.

Vivement l'avenir (prix Marguerite Audoux, prix littéraire des Hebdos en Région, prix Handi-Livres), Le Rouergue, 2010.

Bon rétablissement (prix des lecteurs de *L'Express*), Le Rouergue, 2012 ; Babel n° 1306.

Trente-six chandelles, Le Rouergue, 2014.

ISBN 978-2-330-05883-8

MARIE-SABINE ROGER

IL NE FAIT JAMAIS NOIR EN VILLE

nouvelles

BABEL

LA LOI DE MURPHY

Le jour où j'ai trouvé Moïse, comment j'aurais pu deviner ? Ce qui arriverait, je veux dire.

Je marchais dans la rue. Je revenais de mon travail en remontant le boulevard Edison.

Déjà, il faut vous dire que je n'aurais pas dû passer par là. Parce que, normalement, le boulevard, ça rallonge. Seulement je devais rapporter un DVD chez le loueur.

C'est une digression, peut-être. Il n'empêche, on ne sait jamais ce qui va être important ou pas, lorsqu'on veut raconter une histoire. J'ai du mal à être imprécise. Surtout pour les histoires vraies. Je préfère donc ajouter : il pleuvait.

Pleuvoir, ça ne vous donnera peut-être pas une idée du temps qu'il faisait ce soir-là.

Pleuvoir, c'est vague. C'est humide, mais vague.

Des trombes d'eau, il y avait.

Et évidemment, ça tombait le jour où j'avais un DVD à rendre.

Le jour où j'étais allée chez la coiffeuse entre midi et deux.

Où j'avais mes sandales en cuir et mon pantalon blanc.

Évidemment.

De toute façon, c'est toujours comme ça.

Comme dit M. Peyrelot, au service comptable : c'est la loi de Murphy !

Autrement dit, la loi de l'emmerdement maximum – excusez-moi – qui fait que les choses arrivent juste le jour où il ne faudrait pas. Un pantalon blanc sous des tonnes de flotte, et pas un parapluie pour se garer dessous, par exemple. Vous voyez ce que je veux dire.

Je craignais que le loueur ne ferme et je pressais le pas, car je ne suis pas du genre à passer le délai pour lui rendre les films. Je risquais d'arriver un peu tard malgré tout, pour la simple raison que Mme Vélin, la chef de la compta, m'avait demandé de rester une demi-heure de plus afin de terminer ses flux d'exploitation. Ce qui était complètement justifié de sa part, car nous avions pris une pause supplémentaire, la veille, à seize heures trente, pour remettre à Valérie la petite enveloppe pour son mariage et, bien évidemment, il fallait rattraper le temps perdu.

De toute façon, je reste assez souvent pour aider Mme Vélin.

Elle sait qu'elle peut toujours compter sur moi.

Il y a une très bonne ambiance, au bureau : dès qu'il y a un événement, chacun y va de sa petite obole. Moi, pour le mariage de Valérie, j'avais donné cinq euros, et sans hésiter, croyez-moi ! Je suis sûre que si je m'étais mariée, moi aussi, ou si j'avais eu des enfants, ou quelque chose à fêter dans ma vie, j'y aurais eu droit également, à ma petite tire-lire.

Celle de Valérie était en forme de girafe, car elle est grande en taille. Valérie.

L'an dernier, pour le départ en retraite de M. Batelier, un bien bel homme, un peu coureur, la tirelire était un cochon rose.

Vous voyez, je ne vous mens pas, quand je dis qu'on s'amuse bien !

C'est Mme Vélin qui se charge d'acheter les tirelires.

Elle a un goût très sûr, très personnalisé.

Et puis nous avons nos habitudes, et nos traditions, au bureau.

Par exemple, chaque matin, dès que j'arrive, M. Peyrelot se met à chanter :

— Tiens ! Voilà du boudin ! Voilà du boudin ! Voilà du boudin !

Et il ajoute avec un clin d'œil :

— Je plaisante, pas vrai, Sylviane ?!

Il est taquin.

Ensuite il m'envoie lui chercher un café. Ce que je fais avec plaisir, sans jamais rechigner.

Et je sais qu'il m'en garde estime car, comme il dit toujours :

— Il y a si peu de gens serviables !

Il sait bien que j'en fais partie, de ces gens-là, allez. Mais il n'abuse pas : un café, deux ou trois fois par jour, lui recoudre un bouton, mettre un peu d'ordre dans ses dossiers quand il prend du retard, franchement, qu'est-ce que c'est ?

Mais je m'égare, je perds le fil… Donc, je me dépêchais.

J'ai traversé au passage clouté, en face de la

supérette. Comme j'atteignais le trottoir d'en face, un camion est passé à vive allure dans une flaque, en m'éclaboussant le bas du pantalon.

Merci, monsieur Murphy.

Je continue.

Sur le trottoir j'ai pris à droite, pas le choix. Si je donne autant de détails, c'est parce que je me perds partout, alors il faut que je récapitule. Mais je peux abréger, s'il le faut.

S'il le faut, je peux abréger.

Oui ? Non ?

Bon.

J'ai pris à droite. Pas le choix.

Et là (enfin pas là *précisément*, ce n'est pas un devis, non plus. Quand je dis *là*, c'est façon de parler, on va dire : à vingt mètres) il y a une petite impasse, avec des poubelles empilées.

Ce n'est pas mon chemin – évidemment, vu que c'est une impasse – mais je passe devant.

Vous me suivez ?

Donc, *là*, au moment où j'allais dépasser cette impasse, celle dont je viens de parler, j'entends comme un bruit de moineau. Quand je dis "de moineau", je ne certifie pas l'espèce.

Un petit cri d'oiseau en général, si vous préférez.

Je me suis dit Tiens ?

J'ai jeté un œil, le bruit a repris et – ça alors ! – vous ne me croirez pas, ça provenait d'une poubelle.

Je me suis dit Sacré bon sang de bois mais c'est pas vrai, un taré a jeté un oiseau là-dedans ?!

Je soulève un couvercle : rien. Un autre, rien non plus.

J'entendais toujours le bruit, mais pas moyen de savoir d'où ça pouvait venir. Alors je remonte mes manches, et vas-y que je me mets à fouiller dans ce coin dégoûtant, à pousser des cartons, à trier des bouteilles, dans des ordures et dans des pourritures qui ne sont même pas les miennes. Comment ils font, les éboueurs, pour ne pas avoir la nausée?

C'est un métier, ça, je le dis, il faut avoir le sacerdoce.

De temps en temps je m'arrêtais et je tendais l'oreille. Le piaf était toujours là, il piaillait. Je l'entendais remuer, je pensais Le pauvre, il doit être affolé, il doit gratter de toutes ses forces avec ses petites pattes, ou son bec, ou je ne sais quoi.

Mais pas moyen de le trouver, rien à faire.

Et pile au moment où je me disais C'est bon, j'en ai assez, je ne vais pas me salir des pieds à la tête, non plus, voilà que je trouve un chaton!

Il s'était coincé je ne sais pas comment derrière une cagette en bois, et il pleurait sa mère, comme dirait Kévin, le fils aîné de ma plus jeune sœur.

C'était un tout petit chat noir, pas plus d'un mois et demi, moins, peut-être. Je m'y connais un peu, en minous. Il avait les yeux gris-bleu, les pattes minuscules, et il me miaulait dans la main comme un fou, avec l'air de mourir de faim, de soif, de peur et de colère.

— Tu as perdu ta maman? j'ai dit.

Vu son état, je n'avais pas besoin qu'il me réponde. Une chatte ne laisserait jamais son petit tout pégueux, avec les yeux collés, le nez qui coule et le trou du derrière pas net.

Je me suis dit que le loueur de DVD pouvait toujours attendre, une fois n'est pas coutume, et je suis rentrée chez moi en tenant au creux de mes mains cette petite chose qui me hurlait des *mîîîoûû* aigus.

Arrivée chez moi, j'ai cherché une couverture, un récipient pour servir de gamelle, un autre d'abreuvoir. J'ai débarbouillé le chaton qui était plein de miettes de thon, j'ai décidé de l'appeler Moïse, parce que je lui avais sauvé les os. Et je suis tombée dans le piège.

Moi qui vivais dans un sain égoïsme, à ne m'occuper que de moi, je me suis mise à consacrer mon temps à éduquer ce mini-chat, qui en prenait pas mal à son aise, le voyou.

Je vous passe les petits pipis intempestifs juste à côté de la litière, et le temps passé à lui prendre la patte – *Donne la patte, donne la patte, aïe ! On ne griffe pas maman, donne la patte, je te dis !* – pour lui apprendre à gratter dans le gravier pour cacher ses misères.

Et les bains de siège dans le lavabo, à lui bassiner le fondement à l'eau tiède et au shampoing pour bébé, parce que je n'allais quand même pas lui faire la toilette à coups de langue, comme aurait fait sa mère.

Et je ne vous parle pas non plus des *rrrmîîîoûû ?* interrogatifs et nocturnes, ou des gratte-gratte contre ma porte – mes tapisseries – mes rideaux – mes fauteuils – mes collants.

Ni des petits vomis gluants sur la moquette. Ni des diarrhées. Non, tout ça, je n'en parle pas.

C'est le quotidien d'une mère.

Oui, une mère, le mot n'est pas trop fort. Car un chaton, c'est tout pareil à un bébé (en tout cas à l'idée que je m'en fais, à défaut d'en avoir l'expérience) : une vraie collection de soucis quotidiens, d'angoisses et d'avanies. Mais c'est un tel plaisir, aussi. Enfin quelqu'un à qui parler, qui ne me contrarie jamais, à qui je peux confier tous mes secrets, même ceux que j'invente… Alors les pipis, les griffures et le reste, j'ai vite considéré ça comme du détail, de la broutille, comparé au changement profond que Moïse a apporté dans ma vie.

Mieux qu'un changement, un bouleversement, oui, dont j'ai mesuré l'étendue le jour où j'ai regardé l'heure, au bureau, et où j'ai constaté en soupirant qu'il me restait une heure et quart à attendre avant de pouvoir rentrer chez moi retrouver mon Moïse, mon bébé, ma guenille.

Regarder l'heure !

Moi.

Au travail, je veux dire.

C'est vrai que depuis quelques jours, je pensais de plus en plus souvent à mon chatounet, mon minou, ma panthère, quand j'étais loin de lui. Et je me languissais.

Est-ce qu'il ne s'ennuyait pas, tout seul ? Est-ce que sa balle en mousse ne s'était pas coincée sous le buffet ? Est-ce qu'une vilaine mouche ne s'était pas noyée dans son bol, ou engluée dans sa pâtée *Petites bouchées pour chaton : foie et saumon ?*

Vous avez des enfants. Vous savez ce que c'est.

Et ce jour-là, c'était plus fort que moi. Je ne pouvais pas m'empêcher de vérifier ma montre, discrètement, à intervalles de plus en plus rapprochés.

Encore cinquante-huit minutes. Quarante-trois. Trente-sept.

Plus que vingt-huit minutes.

Vingt-cinq.

Vingt-deux.

Être employée chez Bailleux, Prode et Lemasson, qui plus est au service compta, c'est un privilège dont beaucoup aimeraient profiter, comme le dit si bien Mme Vélin.

Par chance, personne n'avait rien remarqué.

Enfin, si, Nadine Vélin, justement, qui a fini par me demander, bien fort, de sa voix mielleuse :

— Alors, Sylviane, on est pressée de nous quitter aujourd'hui ?

J'ai rougi, sans lever le nez de mes relevés d'actifs circulants.

J'ai entendu quelques murmures. J'ai senti qu'on me regardait.

Nadine est revenue à la charge :

Parce que, justement, j'aurais eu besoin que vous restiez un peu plus, tout à l'heure. C'est possible, n'est-ce pas ?

Je me suis entendue lui répondre :

— Non.

Il y a eu un silence de fin du monde.

Tout le service compta est resté immobile, mains en lévitation au-dessus des claviers, des souris. M. Peyrelot, Mme Verdier. Valérie, la secrétaire.

Et même M. Beddaouï, du service expédition, qui était venu faire tamponner une liasse de bordereaux. Mme Vélin gardait la bouche ouverte. Puis elle s'est ressaisie, elle a repris :

— Comment ?… Heu ?… Ah, bon… Vous avez rendez-vous, peut-être ?

M. Peyrelot a pouffé.

J'ai dit :

— Qu'est-ce que ça peut vous faire ?

Valérie a pâli. Mme Verdier aussi. M. Beddaouï a fait tomber sa liasse sur le bureau de M. Peyrelot, qui a bu son café de travers.

J'ai regardé ma montre : c'était pile.

J'ai dit bonsoir.

Je suis partie.

En rentrant, je suis passée par le loueur de DVD, que j'avais oublié depuis le jour où j'avais trouvé mon Moïse, ma pelote de laine, mon pruneau angora.

Il a voulu m'extorquer dix euros d'amende, pour le retard, vu que j'avais gardé *Raisons et sentiments* plus d'un mois et demi. J'ai refusé de les lui régler. Il a dit que ça ne se passerait pas comme ça, je lui ai répondu qu'il n'avait qu'à m'envoyer un huissier, s'il lui restait du temps à perdre. Il m'a traitée de malhonnête. Je l'ai traité de vieux débris.

Devant chez moi, la concierge de l'immeuble discutait sur le pas de la porte avec une voisine. Elle m'a fait signe d'approcher, à grands gestes, lorsqu'elle m'a vue.

Mon cœur s'est arrêté.

Est-ce qu'il était arrivé quelque chose à mon Momo, mon trésor, mon bijou, ma merveille ?

Elle m'a dit :

— C'est pour la collecte.

J'ai respiré. J'ai demandé :

— Quelle collecte ?

— Pour le bébé de M. et Mme Breton, du troisième gauche. C'est un garçon. Vous donnez combien ?

J'ai répondu :

— Rien.

Elle m'a regardée comme si je venais de faire sur le trottoir.

Elle a bafouillé :

— Rien ? Mais comment, *rien ?*… Heu… enfin… vous êtes sûre que… ? Rien… vraiment ?

Elle a ajouté :

— Mais pourquoi ?

— Parce que je ne les connais pas. Je ne les ai jamais vus. Donc, je m'en moque, vous voyez ?

— Oh, mais, pour un bébé, quand même !… a minaudé la voisine, une vieille bique enfarinée que je ne connais pas non plus.

J'ai haussé les épaules.

Je les ai plantées là.

En montant l'escalier, je me suis sentie libre.

Dans l'appartement, tout était calme.

Par les fenêtres je voyais les lumières de la ville briller en ribambelles. On aurait dit de petites guirlandes accrochées là pour me faire un décor. Je n'avais jamais remarqué à quel point ça faisait joli.

Mon Momo, mon amour, ma grenouille, était endormi sur mon lit.

En m'entendant arriver il a ouvert un œil, il s'est étiré, il a bâillé en me montrant ses dents de lait, sa langue rose. Je l'ai pris contre moi, je lui ai gratouillé le cou, le dessus de la tête.

Il s'est mis à ronronner, et c'était la première fois.

LIBRES OISEAUX

Le bruit doux des rollers caresse le revêtement lisse et gris du trottoir. Les piétons qui l'entendent arriver derrière eux font un léger écart, machinal, mais ils ne se retournent pas.

C'est un son familier.

La silhouette passe, indifférente, et s'éloigne déjà.

Ils sont nombreux, ici, dès six heures du soir, à se rejoindre à l'esplanade.

Ils glissent, avec un balancement cadencé des épaules, le buste un peu penché en avant, le regard concentré. Parfois ils se redressent et avancent en roue libre, rois d'échecs droits et fiers sur l'échiquier de marbre. Libres oiseaux glissant au milieu d'un étang.

Elle les voit arriver de loin.

Elle les guette.

Elle s'installe toujours au même emplacement, à côté de la vieille fontaine. Elle aime cet endroit, à l'ombre du platane que l'on a préservé, parce qu'il s'intégrait bien au projet d'urbanisme conçu par un jeune architecte japonais.

Tout autour, il y a désormais de larges nappes d'eau qui sourdent à même le sol, s'étalent, paresseuses, et disparaissent dans des rigoles minces, que l'on distingue à peine. De nouveaux bancs, aux formes arrondies, épurées. Des jeux pour les petits, avec leurs couleurs vives.

Et puis les rampes modulaires, au béton d'un gris presque blanc, qui éblouit en plein été. Belles rampes lisses et courbes, qui s'ouvrent en coquillage, offrent leur ventre sans défaut aux roues nerveuses des riders.

Avant, il y avait ici deux rangées d'arbres aux branches entrecroisées qui filtraient le soleil dans leur tamis de feuilles.

Elle aimait bien les anciennes allées. Le gravier, ce n'est guère agréable, pourtant. Mais elle doit reconnaître qu'ainsi refaite à neuf, la place est bien plus vaste, elle s'ouvre à la lumière et donne une impression d'étrange liberté. Et depuis que l'on a aménagé les rampes, il y a les bandes de riders, en skate ou en roller, qui se regroupent chaque soir, comme des animaux sauvages le feraient au point d'eau.

Elle les aime.

Ils la fascinent.

Elle s'abreuve sans fin de leur légèreté, de leur indépendance. Elle est avide de leurs danses. Elle n'en est jamais rassasiée, petit vampire inoffensif, juste assoiffé de rêve et de gaieté.

Ils se postent en haut de la rampe, sur la glissière de métal. Ils restent en équilibre, un court instant, puis sautent dans l'enfer, le vide, la gueule du volcan, prennent la pente à contre-courant pour s'en aller jaillir dans un bruit de tonnerre, presque à la verticale, tout en haut de l'autre paroi. On dirait qu'ils s'envolent. Parfois le vol s'immobilise, ils restent un court instant hors du temps, se tournent sur eux-mêmes et repartent à l'assaut des pentes.

S'ils tombent, ils recommencent aussitôt, et c'est elle qui a mal pour eux, qui pousse un petit cri, se mordille les lèvres. Eux, rien ne les arrête, et surtout pas la peur.

Ce sont de vrais seigneurs.

Il doit falloir se plier à une discipline de fer, des entraînements quotidiens, pour laisser croire aux gens que l'on ne pèse rien, que l'on peut défier les lois de la pesanteur.

Plus ça semble facile, et plus c'est exigeant.

Riders, streeters, voilà leur nom. Bien plus qu'un nom, un art de vivre.

Elle a ses préférés.

Elle leur a donné des surnoms : le Coq, qui a une crête rouge et se pavane, jette un coup d'œil autour de lui après chaque voltige et chaque acrobatie, pour voir s'il a brisé de nouveaux cœurs dans les rangs des admiratrices ; Méphisto, ce grand maigre, barbu, toujours vêtu de noir, le visage fermé et le regard hostile, et tellement fragile ; la Petite, aux cheveux rasés et au corps impubère, aux pantalons trop grands et aux tee-shirts trop courts ; le Chef d'orchestre, qui n'enlève jamais les écouteurs de ses oreilles, semble vivre à côté de la vie ordinaire, bat la mesure, dirige pour lui seul un étrange ballet qui suit des variations qu'il est seul à entendre.

Et puis il y a les Anges.

Ils sont toujours vêtus de la même couleur, l'un et l'autre. Tout de blanc, ou de bleu. Ils ont de longs cheveux qu'ils attachent parfois dans la nuque, ou laissent flotter libres. Ils sont étroits et longilignes, deux roseaux qui ploient dans le vent.

Depuis le temps qu'elle les observe, elle ne sait toujours pas s'il s'agit d'une fille et d'un garçon, ou de deux garçons. Ou bien de deux filles. Les Anges ne le savent peut-être pas, eux non plus. Comme les anges n'ont pas de sexe, mais que leur nom est masculin, elle dit "ils", quand elle pense à eux.

Elle fait ce qu'elle veut, quand elle pense.

Les deux Anges sont des streeters, comme les autres, tous les autres. La ville est leur terrain de jeux. Mais ils ont une façon bien à eux de s'emparer de tout ce qu'elle leur offre.

Pas d'agressivité, pas de démonstration. Pas de bruit, ou si peu. Un simple *rrrrmm!* quand ils se plaquent au sol, qu'ils atterrissent après un vol.

Au point d'eau de la place neuve, il y a les singes hurleurs, les antilopes vives et vite effarouchées, et les fauves sûrs d'eux, dominateurs et calmes.

Les Anges, eux, sont deux girafes lentes, au pas souple, aux grands yeux romantiques et rêveurs.

Dès qu'elle les voit, son cœur se réanime.

Ils sont harmonieux, ils sont inséparables, tels deux oiseaux du même nom qui se suivraient du bout des pattes, d'un bout à l'autre du perchoir.

Ils slaloment entre les plots délimitant l'allée centrale, roulent en parallèle. Ou bien, partant chacun d'un côté de la place, ils se rejoignent en marche arrière, sans se voir, et, à l'instant même où leurs routes se croisent, d'un mouvement jumeau ils lèvent une main et tapent, doucement, dans la paume de l'autre. On dirait qu'ils ont répété, des heures durant, tous leurs gestes. Ils sont portés par les mêmes courants. Ils sautent souplement sur les bancs de béton, font d'étranges figures autour de la fontaine, et glissent sur les nappes d'eau, laissant derrière eux un sillage léger qui s'efface à regret, comme la trace blanche d'un avion qui dans le bleu se désagrège.

Parfois, c'est plus fort qu'elle, elle applaudit.

La première fois qu'ils l'ont entendue faire, ils se sont retournés d'un même mouvement.

Elle s'est sentie stupide.

Ils sont restés immobiles un instant, les yeux fixés sur elle. Puis, ensemble toujours, ils l'ont saluée, de la tête, sans rien dire. Sans un sourire.

Elle les a salués aussi, une main sur son cœur, un signe universel pour dire "Je vous remercie…". Si elle avait parlé, est-ce qu'ils auraient compris?

Ici, le monde entier se donne rendez-vous. Il suffit qu'elle ferme les yeux, qu'elle ouvre les oreilles, et elle voyage sans bouger. Portugal, Espagne, Maghreb, Angleterre, Japon, Pays-Bas… L'autre jour elle a entendu quelques phrases en serbe, ça lui a rappelé Novi Sad, son enfance, et les eaux du Danube. La veille, un Italien lui avait demandé l'heure. Elle a gardé le chien d'un couple d'Allemands, le temps qu'ils passent à la banque.

Quant aux sliders qui roulent et s'envolent au ciel, dans des figures insensées qu'ils appellent des tricks, ils ont leurs propres mots, aussi, la langue de leur rite, qu'elle commence à mémoriser, sans la comprendre. Top side, cool grind, fakie, farfig et acid soul…

Quelle langue parlent les Anges?

Lorsqu'elle s'en va, c'est toujours après eux.

Leur départ, c'est la fin du spectacle, le baisser du rideau, le temps venu de retourner chez soi. Dès qu'elle aura franchi les limites de l'esplanade, la magie cessera aussitôt, et la réalité reprendra tout son poids, sa pesanteur, son évidence.

Escaliers, trottoirs, foule dense.

Elle aimerait si fort pouvoir faire comme eux.

Se hisser au sommet de la rampe et basculer vers le fond de l'enfer, prendre de la vitesse et débouler ensuite, en foudre inverse, jusqu'au ciel.

Elle aimerait filer comme une flèche, sans un bruit, hormis celui du vent qui siffle à son oreille. Glisser droit devant elle et puis, de temps en temps, se payer la folie d'une longue arabesque. Dessiner son prénom en lettres invisibles sur le parvis de marbre lisse et froid.

Son prénom : *Aniela*.

Ce qui veut dire l'ange.

Ce soir, ils ne s'arrêtent pas de danser, de laisser libre cours à leur âme d'artiste.

Le jour est loin de se coucher encore, les journées de juin s'étirent à l'infini. Mais l'heure tourne, il se fait tard. Elle doit partir, la route du retour est lente. Elle veut rentrer avant la nuit. Elle prend son sac, vérifie avec soin qu'elle n'a rien oublié. Elle enfile ses gants, puis s'avance, il faut couper par l'esplanade et passer devant le théâtre. Elle prendra par la rue d'en face, ça double le trajet, bien sûr, mais sinon, tous ces escaliers, sans parler de la pente raide, pour atteindre enfin le boulevard…

Les Anges sont au bout de la place, ils viennent dans sa direction. Ils se rapprochent, ils se rapprochent… Elle ne les a jamais vus d'aussi près. Ils sont beaux, ils sont magnifiques.

Elle est saisie au cœur, tellement sous le charme qu'elle s'arrête brutalement, et que son sac glisse, sans qu'elle songe à le rattraper.

Ils la croisent, et puis la dépassent, sans l'ombre d'un regard pour elle.

Elle cherche à ramasser son sac, la terre est loin, la terre est basse.

Soudain, le bruit léger des rollers, derrière elle : ils reviennent.

Elle a un frisson.

Ensuite, le miracle. Une main dépose son sac sur ses genoux. Elle sent une poussée, à peine, et voilà le sol qui défile sous elle, de plus en plus pressé, plage de marbre immense, où elle croit courir. Elle fait un long slalom entre les nappes d'eau qui scintillent, plusieurs boucles serrées, elle prend de la vitesse, elle n'a pas peur, bien au contraire. Elle se sent venir des ailes dans le dos. Voilà ce que ça fait de devenir oiseau ? Jamais elle n'a été aussi vive et légère !

Elle est comme une reine, une étoile filante, les passants la regardent, et les sliders s'arrêtent, ils s'écartent sur son passage. On la salue. On lui sourit, spontanément, sans moquerie.

Elle rit et, dans son dos, elle croit entendre un – non – *deux* échos.

Tous se retournent après elle.

On veut la suivre du regard, la minuscule silhouette, tordue comme un vieux cep, mitaines élimées par les roues, petit sac noir sur les genoux, promenée sur la place par deux adolescents, poussant comme un landau le vieux fauteuil roulant.

SANS BLESSURE APPARENTE

Patrick ne dit jamais bonjour, au téléphone. Au revoir non plus, d'ailleurs.

Il y a un blanc, puis la tonalité. On garde encore un peu l'appareil à l'oreille, on ne sait pas encore qu'on est seul et pourtant c'est le cas : il vient de raccrocher, il est passé à autre chose. Il vous a déjà oublié.

— Je suis passé voir André, jeudi, en rentrant de ma convention. Il va mal.

Patrick ne dit jamais que l'essentiel, pas davantage.

J'ai demandé :

— Pourquoi ? Qu'est-ce qui te fait penser ça ?

— Bah… Il a mauvaise mine, je le trouve éteint. Je ne sais pas.

Et il a ajouté :

— Tu devrais y aller, tu ne crois pas ?

Pourquoi moi ?

Pour les mille raisons qu'il ne prendra même pas la peine d'énumérer, tant elles lui semblent évidentes. Sans mari, sans enfants, travail indépendant. Parce que je suis célibataire, et donc forcément disponible. Corvéable à merci.

J'en ai assez. Merci.

Mais j'aime bien André, notre vieil oncle. Alors j'ai dit :

— D'accord, j'essaierai d'y aller ce week-end. Je crois que le vendredi il y a un train qui arrive en début de soirée. Et j'en profiterai peut-être pour rester un peu là-bas, j'ai besoin de repos.

Patrick n'a pas cherché à savoir pourquoi. Je ne crois pas qu'il se soit demandé un jour quelle est ma vie, quelles sont mes pensées. Je ne suis pas une femme, à ses yeux. Je ne suis qu'une sœur aînée. Le fait que j'aille mal, ça ne l'effleure pas. Non pas qu'il s'en foute vraiment, mais je crois qu'il ne peut m'accorder ni détresse ni doutes.

Je suis fiable. Dynamique. C'est de notoriété publique. Je vais bien.

Je vais toujours bien.

Il a juste conclu, satisfait :

— Parfait, tiens-nous au courant.

Bien sûr. Évidemment.

Ce "nous" impersonnel signifie la famille. Soit : Patrick et sa greffe, Sophie, qui vit pour lui, par lui, à travers lui et leurs deux enfants ; mon frère aîné Laurent et sa femme Émilie.

Et moi – seule – à qui je retranche d'une part Toi, mon faux amour, et de l'autre mes rêves.

Puisque tu les refuses, que je dois faire place nette.

Effacer ce qui ne peut l'être.

J'ai raccroché, regardé une fois de plus l'heure d'entrée à la clinique, pour le surlendemain en fin d'après-midi. Puis je suis allée chercher sur Internet les horaires des trains. Il y en avait bien un le vendredi, je l'ai acheté en ligne.

Je vais y aller.

J'aurai sept heures à passer là, dans ce vieux train corail des longues transversales, aux banquettes en moleskine grise et usée, en route vers un Sud qui ne me tente pas.

Sept heures. Et tout au bout, quelques jours à passer dans la maison d'André, qui n'y vit plus depuis deux ans et va fêter sans joie ses quatre-vingt-dix ans en maison de retraite.

Il n'y a pas d'autre endroit où dormir, dans le coin, si ce n'est l'hôtel des Platanes, bruyant, trop cher et mal entretenu. Je logerai dans la maison et j'y retrouverai l'odeur de renfermé, encaustique et poussière. Le silence de monastère.

L'été au Sud, ce n'est qu'imposture, l'image d'Épinal d'un bonheur que dément la chaleur étouffante dès le mois de juin et la pénombre qui règne ici en souveraine, quand les maisons sont *cabanées*, qu'elles gardent volets clos pour échapper à la fournaise.

Ici le temps s'écoule au ralenti. Le corps pèse et l'âme s'englue.

Il faut attendre la fin d'après-midi pour ouvrir les volets – enfin – à deux battants. Les faire claquer bruyamment, dans une frénésie de clarté, de lumière.

Le jour est fait pour s'assoupir, la nuit pour dormir mal, le drap entortillé, plaqué par la sueur comme une mue collante. Mais l'enlever serait offrir sa peau nue aux moustiques, qui viennent zinzinner à l'ourlet de l'oreille et vous tatouent le corps de pointillés grenat.

Vivre l'été, ici, c'est long à se faner.

Quant à l'hiver, c'est pire. Dans ces vieux mas dressés pour garder la fraîcheur, décembre est plus triste qu'ailleurs. Lorsqu'on vient de dehors et qu'on entre, tout aveuglé d'un ciel lessivé par le vent, on se sent enfermé comme dans une cave dans ces pièces aux murs d'ocres, aux bois noirs, aux fenêtres étroites.

M'y rendre vendredi, ce sera plus pénible encore.

Aux heures de visite, il faudra confronter la tristesse d'André à la mienne. Je crains qu'elles ne se reconnaissent entre elles, nos deux mélancolies. Je crains qu'elles ne se fortifient. Pourtant j'envie la sienne, légitime, faite de belles nostalgies, du regret de quitter d'ici peu une existence bien remplie. La mienne sonne creux comme une calebasse.

Il a vécu sa vie. J'occupe le terrain.

Je meuble de mirages une immensité vide. Je fais une oasis de trois pauvres pépins.

Si l'arbre pousse, je l'arrache.

J'arriverai là-bas vers vingt-trois heures trente. Il y a vingt minutes en taxi depuis la gare, à peine. Je saisirai la grille à pleines mains : il faut la soulever un peu, sinon elle racle. Elle se retient au sol, refuse de s'ouvrir, puis finit par capituler dans un long geignement de reproche.

Comment irai-je, à ce moment précis ?

Je voudrais ne pas y penser, mais je ne pense plus qu'à ça. J'ai du mal à envisager quel cours prendra mon existence. Comment cicatrise le manque ?

Comment vit-on sa vie quand la vie n'est plus là ?

L'allée de gravier me semblera étroite et mal entretenue. Est-ce que le sac tirera sur l'épaule, est-ce que le ventre fera mal ? Qu'y a-t-il donc, après l'irréparable ? Après la lâcheté, la peur et le déni. La perte refusée mais pourtant consentie.

Et la mutilation, sans blessure apparente.

Je me sentirai pauvre, je crois. Plus que pauvre : ruinée, retournée. Mise à sac.

Pourtant c'est moi qui serai là, venue pour soutenir un vieil homme qui glisse et se laisse partir parce que l'heure est venue. C'est moi qui me tiendrai à ses côtés, patiente et attentive, un sourire plaqué aux lèvres comme on met un loup sur ses yeux, pour ne pas être reconnue.

Ce sera moi, et pas une autre. Celle que j'aurais rêvé d'être, et que je ne serai jamais. Une qui parviendrait à faire de ses rêves une réalité. Une qui t'oublierait déjà, qui ne se perdrait pas sans fin dans les regrets. Qui aurait su garder cet enfant malgré toi.

Mercredi soir j'irai à la clinique. Jeudi matin je saignerai. Vendredi, je prendrai le train.

J'irai bien.

Je vais toujours bien.

CE BON MONSIEUR MESNARD

L'immeuble m'avait plu. Il se tenait à l'angle de deux rues agréables, qu'un sens unique gardait épargnées de l'infernal tohu-bohu habituel au centre-ville. Perché au dernier étage, l'appartement était d'un charme compatible avec mes moyens. La chose était en elle-même assez rare pour en justifier la location immédiate. La chambre était très claire. J'aimais ses persiennes qui, par fausse pudeur, refusaient d'occulter pleinement la lumière.

Ma seule hésitation, ce fut le voisinage. On me rassura aussitôt : à cet étage ne sévissait qu'un vieux célibataire. Au-dessus, il n'y aurait que Dieu, les pigeons, et les chats de gouttière. Au-dessous ? On me vanta les atouts d'une veuve impotente et dépourvue d'enfants. Plus bas, cela ne me concernait guère. La veuve amortirait les bruits éventuels…

Mais ce voisin de palier, si proche, restait une menace.

— Monsieur Mesnard ?… Ce n'est pas lui qui vous dérangera ! affirma le propriétaire tout en poussant vers moi, d'un index boudiné, le bail signant la mort de mes économies.

J'accédai donc, un beau jour de juin, à cet état de locataire que j'avais fui de nombreuses années, mais qui me semblait aujourd'hui synonyme de quiétude.

La première personne que je rencontrai ce jour-là dans l'escalier, comme je me battais en combat singulier avec un guéridon des plus récalcitrants, fut justement M. Mesnard.

Je le croisai sans vraiment le voir. Ou plutôt, ce fut lui qui, tel le passe-muraille, parut s'engloutir dans le mur à l'instant où nos deux trajectoires auraient dû se rencontrer. J'obstruais le passage à tel point qu'après coup je restai interdite, me demandant par où avait bien pu passer cet homme, pour ne m'avoir ni bousculée ni enjambée entre deux marches.

Ne trouvant nulle explication rationnelle, il me vint l'idée saugrenue que je venais de me faire *sauter* par mon voisin, et qui plus est sans m'en apercevoir, ce qui me parut d'une part inenvisageable, de l'autre, fort inconvenant.

Je terminai mon déménagement dans un état de fatigue exaltée. Je me mis au lit avant neuf heures. Je sombrai sur-le-champ dans un moelleux coma.

Au petit matin, je fus éveillée par un silence si compact que du fond de ma somnolence je craignis un instant d'avoir perdu l'ouïe. Mais non. Tendant l'oreille je distinguai enfin les signes furtifs d'une vie bruissant autour de moi. Le propriétaire ne m'avait pas menti, en m'affirmant que la rue était calme. J'aurais pu me croire dans une de ces nombreuses maisons de province entre lesquelles ma jeunesse morose s'était dilapidée. M'étirant comme un chat au sortir de la sieste, je décidai que vivre ici serait une apaisante cure.

Et sur ce, je me rendormis.

Je ne me souviens pas des deux ou trois premières fois où je croisai de nouveau Maurice Mesnard. Car nous dûmes nous rencontrer, à un moment ou à un autre. Mais je n'accordais pas une grande importance au genre humain, à cette époque-là. Je passais sans rien voir, fixée sur mes pensées, dans une égotique rumination.

Même si j'avais depuis longtemps bien du mal à écrire, j'éprouvais à nouveau, par moments, comme une envie confuse de me mettre au travail. Dans cette perspective, j'avais aménagé le bureau en premier. La table n'était pas de bois sombre et précieux, le tapis n'avait rien des charmes de l'Orient. Pourtant il avait suffi de deux affiches aux couleurs chaudes, de quelques rayonnages croulant sous les bouquins, pour ressentir déjà un avant-goût d'ambiance. Trois ramettes d'A4, blanc extra, 80 grammes, l'écran et le clavier posés au centre du bureau contribuaient déjà à me donner des fourmis dans la tête.

Juin passa, sans rien qui le distingue.

Vint juillet.

La perspective de revoir des amis de passage m'ayant mise un matin d'excellente humeur, je descendis en gambadant acheter un dessert et de menues bricoles, pour le soir.

Nous nous rencontrâmes à mi-pente, sur le palier du second.

Il montait. Lentement.

Je le vis venir à moi, en contre-plongée, dans le jour maladif coulant de la verrière. Il avait dû m'entendre, c'est certain : je venais de dégringoler quatre volées de marches d'un pas alerte. Tout autre que lui eût levé le nez, par curiosité ou réprobation, pour me dévisager. Il n'en fit rien. Il gravissait toujours la pente d'un pas lent d'alpiniste, semblant tâter du pied le sol, dans l'éventualité d'un brusque éboulement de l'escalier, sans doute.

Comme nous arrivions à la même hauteur, je lui lançai un "Bonjour !" guilleret.

Sans quitter du regard le bout de ses chaussures, il soupira un rauque "Bonjour, madame" au bord de l'asphyxie.

Je n'entrevis de lui qu'un profil de momie, d'une pâleur malsaine, un nez long, aquilin, une bouche aux lèvres avares, contractées sous l'effort.

Comme il continuait sa pénible ascension, je le suivis de l'œil jusqu'au premier virage de la rampe, qu'il empoignait d'une main à ce point convulsée qu'elle blanchissait le long de ses jointures maigres. Prise d'un brusque accès de compassion, je regrettai mon euphorie bruyante et mon insolente santé. Je descendis les étages suivants sur la pointe des pieds, en proie à un vague malaise.

J'oubliai mon voisin. Ou plutôt je crus l'avoir oublié.

La canicule sévissait. La rue était devenue déserte. Mon boulanger et mon buraliste ayant fermé leur porte pour cause de congés, je décidai de partir, moi aussi. Un voyage au Sud permettrait de faire provision d'images, pour pouvoir commencer, enfin, ce manuscrit dont je fanfaronnais l'entreprise à mon éditeur, quand sur mon bureau, toujours vierges, les ramettes de papier blanc m'étaient un douloureux et quotidien reproche.

Je fis donc part à mes amis de mon prochain passage et pris mon billet de train, aller simple, pour Agde. Je n'aime pas les dates de retour, ce qui est décidé à l'avance, établi, ce qui peut exalter mon horreur des contraintes. Toute gêne est pour moi violence, et toute retenue semble coercition. Alors, pour le retour, pffuit ! je verrais ça en temps utile.

Car le temps inutile reste mon préféré.

La veille de mon départ, dans la soirée, il me vint à l'esprit que mon courrier s'entasserait dans ma boîte. Non qu'il fût d'un grand intérêt : les factures et autres relances en représentaient, de très loin, la plus grande part. Mais le propriétaire m'avait suppliée de ne pas laisser ma boîte aux lettres à l'abandon : ce serait un appât pour les voleurs.

Las ! Il était trop tard pour aller signaler mon absence à la Poste. Une fois de plus, dans ma vie, j'aurais fait l'éclatante démonstration de mon imprévoyance. Résolue à ne pas m'accabler de vains reproches, je cherchai une solution. J'étais au bord du désespoir, pas moins, lorsqu'enfin je songeai que mon voisin de palier ne me refuserait sans doute pas le menu service d'aller relever mon courrier de temps en temps.

Mon repas à peine achevé, je m'aventurai sur le palier. Entre nos deux appartements s'ouvrait la cage

d'escalier. Bien que ce dernier étage fût moins spa-
cieux que les autres, sept ou huit mètres séparaient
nos deux portes qui se faisaient face, très exactement.

La minuterie m'ayant à regret dispensé un éclai-
rage pâle, je vis, scotchée à côté de la sonnette, une
carte de visite, où l'on pouvait lire en lettres chan-
tournées, d'un mauvais goût très sûr :

Maurice Mesnard

Aucun rai de lumière ne filtrait sous la porte. J'hé-
sitai un moment.

Il était environ vingt et une heures trente. Se pou-
vait-il que l'on dorme si tôt ? N'était-il pas tout simplement absent ?

Mue par mon inaltérable égoïsme, je me décidai
à sonner. Il y eut un long silence. Puis je crus percevoir un glissement feutré. On venait d'allumer,
dans le couloir. Enfin, la porte s'ouvrit à demi. Dans
l'entrebâillement se tenait mon voisin, les yeux battus, la bouche amère, scellée à double tour sur un
pli descendant, le cheveu terne, la narine pincée. Il
était en chaussons, vêtu d'un pyjama et d'une robe
de chambre informe, d'une laideur d'anthologie.

Il parut surpris, intimidé par ma présence, incon-
grue j'en conviens.

Je ne pris pas le temps de le détailler à loisir. Ce
n'était ni le lieu ni l'heure. J'enregistrai toutefois
quelques détails. Il était grand. Par rapport à moi,
très grand, même. D'une maigreur extrême. Il avait
un regard étrange, à la fois fuyant et confus… Je constatai qu'il n'était pas si vieux, ce vieux célibataire.

Soixante-cinq ans, peut-être ? Peut-être même moins.

D'une voix de confessionnal, il m'agonisa un :

— Bonsoir, madame.

En retour, je lui bafouillai un "Bonsoir" suraigu, puis, toussotant afin de rétablir mon organe dans son habituel registre alto, je continuai, sur un débit bien trop rapide. Il fut, en deux secondes et trente-cinq centièmes, question de "courrier-à-relever-s'il-vous-plaît-et-s'il-ne-s'agit-pas-d'un-trop-grand-dérange-ment", du propriétaire et de ses recommandations, des voleurs qui rôdent paraît-il autour des boîtes aux lettres, et voilà.

Maurice Mesnard, tout d'abord pétrifié, changeait peu à peu d'expression. Il hochait à présent la tête d'un air compatissant, comme si je lui annonçais qu'un deuil venait de me frapper. Mes explications précipitées laissèrent enfin place à un silence lourd.

Il se tenait toujours dans la même posture, à demi caché par le chambranle, courbé vers moi, dans une attitude d'échassier, à la fois gracieuse et grotesque. Sa main émaciée se cramponnait à la poignée de laiton poli. La lumière plongeante ourlait de cernes ténébreux le bord de ses orbites caves. Je pris soudain conscience du ridicule de la situation. Lui, jailli à moitié seulement de son antre, comme une araignée tubitèle. Moi, zonzonnante mouche en jogging, ponctuant mon discours volubile d'une gestuelle italienne.

Je me tus. Le silence, aussi palpable qu'une tierce personne entre nous, se prolongea.

Je toussotai. Il hocha de nouveau la tête. Puis, avant de refermer sa porte, murmura :

— Je comprends…

Ce fut tout.

Je retraversai le couloir comme une somnambule, me demandant ce qu'il avait "compris" exactement. Viendrait-il relever mon courrier, oui ou non ? Était-ce un parfait abruti ? Voulait-il se moquer de moi ?

Je me fis un café serré. Je pris, pour une fois, le temps de le boire assise. Non, ce pauvre homme devait tout simplement être un peu sourd. L'explication était des plus simples. Il n'avait pas pu saisir un traître mot de mon épuisant monologue ! Stupide que j'étais !

Je glissai illico le double des clés de ma boîte aux lettres dans une enveloppe portant mon nom et un *merci encore* calligraphié avec soin, que j'allai déposer sur le paillasson de mon funéraire voisin.

Enfin, je me couchai et j'eus le plus grand mal à m'endormir, d'autant plus agacée que je devrais, le lendemain, me lever aux aurores.

Dans le train, le fantôme égrotant de Maurice Mesnard vint plusieurs fois hanter de son pâle reflet le cours torrentueux de mes pensées intimes. Je décidai d'oublier le courrier, le voisin, les voleurs et le propriétaire. Le Sud venait à moi.

Lorsque je revins, trois semaines plus tard, mes jupettes et mes dessous s'imprégnaient des senteurs du jardin, thym, basilic et romarin, gentiment ensachés et mis dans ma valise par mon amie Sandrine. En arrivant chez moi, très tard, je constatai que ma boîte aux lettres était vide. Ce bon M. Mesnard avait accédé à ma requête. Prise d'une bienveillance sans borne pour cet admirable voisin, je me sentis aussitôt rassurée.

Le lendemain, tôt dans la matinée, on gratta à ma porte. Gratter est bien le terme exact. Cela produisit ce même raclement furtif qui annonçait le retour de Pastille, ma chienne, lorsque j'étais enfant, quand elle avait maraudé tout un après-midi dans les champs de colza, et qu'elle nous revenait constellée de pollen, jaune comme un curieux tournesol quadrupède.

J'allai ouvrir. Sur le seuil se tenait Maurice Mesnard.

Je ne sais pourquoi mais, le voyant, je fis un écart. Il prit cela, sans doute, pour une invitation, car il se glissa aussitôt dans mon séjour. Je vis au passage qu'il était en jogging, chaussé d'une de ces paires de baskets orthopédiques qui font la joie des sportifs de salon. Sa tenue insolite faisait ressortir sa maigreur maladive, la voussure affirmée de ses épaules étroites. Je le considérai dans toute la splendeur de son prodigieux ridicule. Mais, polie, je ne pouffai point. Je me contentai de hocher un mutique "bonjour", en cherchant ce que je pourrais bien trouver à lui dire. Lui, mégalithiquement planté dans mon séjour, s'était tourné vers moi, toujours dos au palier.

Quelqu'un, passant là par hasard, aurait pu conclure que M. Mesnard vivait dans mon appartement, et que, lui ayant rendu visite, je me disposais à prendre congé.

Je toussotai. Il ne dit rien.

Il me contemplait d'un œil grave. Il paraissait attendre quelque chose. Mais quoi?

Je vis alors qu'il tenait un paquet. C'était une boîte à chaussures.

— C'est pour moi? demandai-je, assez bêtement, j'en conviens.

Il opina sans mot dire.

Je bêlai :

— Et… heuuu… qu'est-ce que… heuuu…?

— Votre courrier, répondit-il.

Ayant avisé ma table, il alla y poser sa boîte. Il l'ouvrit.

— Voici! fit-il.

Comme je m'étais approchée, je ne pus retenir un petit sifflement.

Mon courrier était rangé en trois paquets distincts. Un dans le sens de la longueur, au fond. Deux autres, en travers, au-dessus. Chacun des paquets était noué en croix avec une ficelle.

Je tentai un compliment :

— Hé hé, je vois que vous avez bien fait les choses!

Je sentis au-dessus de moi le regard pesant de M. Mesnard.

— Inutile de faire, si ce n'est pas pour faire bien, répondit-il, sévère.

Je rougis.

Mais il continuait, le verbe avare :

— Tout est rangé. En fonction.

— De quoi? demandai-je.

— De l'ordre.

Je considérai les trois paquets, perplexe. Un simple coup d'œil m'avait suffi pour voir en quoi ils consistaient. Des deux posés dessus, l'un concernait les lettres administratives, les factures. C'était le plus épais. L'autre (petit) paquet était constitué de lettres personnelles et de quelques cartes postales. Enfin, tapissant le fond de la boîte, j'apercevais les périodiques.

Je levai vers M. Mesnard un regard impressionné. Mais il était déjà sorti, plus silencieux qu'un spectre, sans attendre un remerciement.

D'un coup d'Opinel, je libérai mon courrier de ses entraves. Je fronçai aussitôt les sourcils, au risque de détruire l'harmonie sereine de mes traits. Sur chacune des enveloppes il y avait, au-dessous du timbre, une inscription au crayon, d'une petite écriture appliquée. Je lus.

On avait relevé, à chaque fois, le jour et l'heure de la distribution. *Lundi 3 août, 9 h 00 ; Mercredi 5 août, 9 h 30...* Puis, on avait classé le courrier "en fonction" de la date.

Mais il y avait mieux. Ou pire, c'est selon.

Sur une carte postale envoyée par mon neveu Kévin, la mine de plomb étriquée avait discrètement souligné une faute d'accord, et deux pluriels omis. De même, un ami ayant rédigé mon adresse de façon incomplète, elle avait été rectifiée (bien inutilement, puisqu'elle m'était parvenue !).

Voyant cela, je me sentis partagée entre l'agacement, l'apitoiement, la colère et l'envie de rire.

Écartelée, plutôt. Penser que ce grand anchois était venu plonger son long nez dans mes cartes postales, ça m'agaçait beaucoup. D'un autre côté, il n'avait fait que me rendre un service que je lui avais moi-même demandé. Cet homme devait s'ennuyer à mourir. Il avait trouvé là une occupation bien anodine. C'était sans doute un vieux maniaque, un brin obsessionnel.

Tout, chez lui, devait être classé, ordonné, étiqueté puis rangé "en fonction".

Bref, il n'avait pas pensé à mal, c'était certain…

Et je n'avais qu'à m'en prendre à moi-même. Si je ne souhaitais pas que l'on s'occupe de mes affaires, je m'abstiendrais à l'avenir de solliciter les voisins.

En attendant, pour me sentir quitte, il me fallait le remercier, ce bon M. Mesnard.

Je n'avais évidemment pas songé à lui rapporter un cadeau. Qu'importe. Ayant cru percevoir, à plusieurs reprises, quelques remugles de cuisine imbibant notre palier commun, il me vint à l'esprit que cet homme aimait peut-être mitonner des plats, bien que le résultat fût, en ce qui concernait le fumet tout au moins, difficilement identifiable. Sacrifiant mentalement le thym de ma copine, je me promis d'aller le lui porter. Ainsi je ne serais plus redevable.

Et voilà tout…

Le lendemain je sonnai donc chez Maurice Mesnard, pressée d'en finir avec lui. Je tenais à la main la touffe de plantes potagères, enrubannées de bleu. Et je songeais, par-devers moi, qu'*avec mon p'tit bouquet j'avais l'air…*

Il ouvrit.

Il ne parut pas le moins du monde surpris de me trouver sur son paillasson sur le coup de dix heures. Il était toujours vêtu de son jogging, dont le pitoyable état laissait supposer qu'il avait aussi servi de pyjama.

Il me dévisagea d'un œil de poisson mort, puis me salua, d'un funèbre :

— Bonjour, madame.

Il s'effaça pour me laisser entrer. Je n'y tenais pas le moins du monde. Je prétextai d'un air confus une course urgente à faire. Cela ne l'émut point. Il réitéra un geste d'invite, à laquelle j'accédai, lâche, en me maudissant.

Je m'avançai en murmurant, vaincue :

— Bon, mais pour un instant seulement, alors…

Je le suivis dans l'entrée et m'arrêtai sur le seuil du séjour, interdite. La pièce, plongée dans la pénombre, était meublée d'un mobilier hétéroclite. Non, *meublée* n'est pas le terme qui convient. Il s'agissait plutôt d'un empilement monumental. Les meubles étaient si rapprochés qu'il fallait rentrer le ventre pour franchir sans encombre le défilé étroit qui séparait la table du buffet. Le divan était encastré entre une commode agrémentée de fougères malsaines et de plastikenpots et un énorme bahut, d'époque indéterminée, artificiellement vieilli à la perceuse.

Ce cher Maurice devait enjamber le divan, lorsqu'il voulait accéder à la télévision, elle-même posée sur une table basse surchargée de photos encadrées et d'affreux bibelots. Pas une chaise n'était libre. Sur chaque meuble, il y avait des livres, des revues, tout un fatras sédimenté en innombrables strates. On se serait cru dans un entrepôt de salle des ventes, ou dans un garde-meuble à l'abandon. Je cherchai à me repérer. L'appartement était le même que le mien, en symétrique. Cette fenêtre close devait donc donner sur la rue de la boulangerie. Et l'autre, sur celle de la Poste. Cette porte ouvrait sur la chambre, à moins que… Non, c'était plutôt celle du fond, qui… Je me sentis prise d'un vertige immobile.

Soudain, me plantant là, entre un portemanteau et un fauteuil voltaire, Maurice Mesnard s'excusa d'un ton sourd :

— Je reviens.

Avec une rapidité déconcertante, il se faufila, tel un reptile vertical, entre les étagères et les portes d'armoires, et traversa la pièce pour aller ouvrir une porte, loin, très loin de moi. De nauséeux effluves de graillon submergèrent l'appartement, me fournissant un bon prétexte pour lui refiler mes senteurs de Provence, et filer.

— Oh, mais je vois que vous aimez cuisiner ! hululai-je, de mon trou d'ombre, tout en clignant d'un regard angoissé sur ma montre.

J'étais là depuis trois minutes seulement. J'aurais cru davantage.

De la cuisine parvenait un vacarme de casseroles entrechoquées, de bruit d'eau tombant en cataracte sur le sonore inox de l'évier double bac. Ne sachant si mon voisin m'avait entendue, je réitérai mon astucieuse réflexion, mes fines herbes serrées contre mon cœur.

M. Mesnard surgit de nouveau, armé d'une fourchette, sur le seuil de sa cuisine. Sa silhouette maigre, à contre-jour, me donna le frisson. Il ressemblait à Méphistophélès aux portes des Enfers. L'illusion était d'autant plus saisissante qu'il paraissait nimbé de vapeurs méphitiques, qui s'échappaient de sa cocotte en un jet continu et fort malodorant.

Nous avisant, le thym et moi, mon voisin se souvint que j'encombrais son antre. Estimant son parcours au plus juste, il décida de couper vers moi par le divan.

Je me serrai frileusement contre le dos penché du voltaire. Je lui tendis, à bout de bras, mon offrande, dans un geste de crainte autant que d'exorcisme. En un instant il fut sur moi.

Enfin, tout contre.

Je me mordis les joues pour ne pas hurler. Il se tenait si près que je ployais les reins en arrière. Le portemanteau, coincé contre mon flanc, m'interdisait de fuir. Je levai mon regard vers lui. J'avais le nez à hauteur de son torse, profitant largement d'exhalaisons diverses. Et, depuis la vidange aigre de son haleine jusqu'aux effluves rances du jogging pyjama, tout, tout m'indisposait. Économisant l'air, je murmurai :

— Je vous avais porté ceci. Pour vous remercier. Pour… pour mon courrier…

Mon voisin laissa tomber son œil froid de rapace sur mon botanique présent.

Allait-il accepter l'hommage ? Ou, laissant libre cours à ses plus bas instincts, me planterait-il violemment sa fourchette sous le sein gauche, pour m'occire, juste avant de me cuisiner à sa façon ? Je suspendis mon souffle. Maurice Mesnard tendit vers moi une main hâve.

Craignant un contact, je lui abandonnai ma touffe de verdure à l'instant même où il s'en emparait, me rétractant de la phalange, comme l'escargot de son œil.

Il considéra fixement le cadeau, avec une expression singulière. Dans l'obscurité de la pièce, je n'en distinguai pas toutes les nuances, c'est certain. Cependant, je vis son œil se plisser. Sa bouche trembla, se tordit. Ses lèvres fines s'affinèrent encore davantage, en un étirement continu. Lorsqu'enfin ses lèvres s'entrouvrirent, je vis luire ses dents désordonnées d'un terne éclat, cependant qu'il laissait tomber :

— Merci.

J'en conclus qu'il avait souri.

Comment je pris congé, je ne sais plus. Toujours est-il qu'en accostant sur le palier, je crus émerger de profondeurs terribles, abyssales. J'aspirai à pleins poumons l'air empestant le chou et la vieille friture. Il faisait jour. Nous étions mercredi. L'existence était une chose irremplaçable et magnifique, et mon voisin un être bordélique et glauque chez qui jamais, jamais je ne remettrais les pieds.

Quelques jours plus tard, réalisant avec effroi, un matin, le pitoyable état de friche où je me trouvais réduite, je pris illico rendez-vous chez ma coiffeuse. Elle eut l'extrême amabilité de me prendre aussitôt. Sans doute avait-elle perçu l'urgence, dans ma voix. Je ressortis brushée de frais et, dans la foulée, je m'achetai un tee-shirt très mimi qui me faisait le teint avantageux et le sein optimiste. Je rentrai chez moi d'une humeur enjouée.

La journée était belle, les passants avenants, tout prêtait à enchantement.

M. Mesnard sortait de l'immeuble à l'instant où j'y entrais. C'était la première fois que je le voyais au grand jour. Il avait troqué son jogging contre un costume d'un joli noir foncé, parfaitement seyant pour une mise en bière. Guillerette, je lui arpégeai un musical :

— Bonjour !

Il se fendit en retour d'un rictus aux commissures tombantes qui ressemblait à un sourire en négatif.

— Bonjour, madame… souffla-t-il.

Peu avare de platitudes, j'embrayai :

— Belle journée, n'est-ce pas ?

— Profitons-en, qui sait ce que demain nous réserve… calamita-t-il en retour.

Puis, sans rien ajouter, il s'éloigna. Je ne pus détacher mon regard de son dos voûté jusqu'à ce qu'il ait tourné le coin de la rue. Mon moral tout neuf se voilait déjà d'une brume polaire. Il faisait froid pour la saison. Ce tee-shirt était trop moulant. À y bien regarder, cette salope de coiffeuse avait dû me couvrir d'échelles. La vie n'était qu'une vallée de larmes, et c'était tout.

Comme j'ouvrais ma porte, la clé força un peu. Le verrou, grippé depuis le premier jour, semblait de plus en plus récalcitrant. Je me promis de signaler le fait à mon propriétaire. Il serait bon de changer la serrure avant qu'elle ne m'oppose un refus obstiné. Je me voyais mal passer la nuit sur mon palier.

Quant à la perspective d'aller me réfugier chez le voisin, elle était abominable…

Un soir de la semaine suivante, je sortis prendre un pot avec quelques amis et je rentrai au milieu de la nuit. Ma porte, rétive, refusa de s'ouvrir. Ma fatigue y était sans doute pour beaucoup. Quelques verres de vin, pour le reste. Je me mis à fourrager sans résultat dans la serrure, tout en pestant à mi-voix, pressée d'aller me soulager d'un encombrement de vessie.

Soudain une main crocheta mon épaule.

Je hurlai de frayeur. Me retournant d'un bloc, je hurlai de nouveau.

M. Mesnard me regardait, un long tournevis à la main.

Il eut un geste de recul. Je me tus, encore effrayée, mais néanmoins consciente de son innocuité relative. Profitant de mon silence abasourdi, il murmura, montrant son arme :

— Je venais vous aider, madame…

Je devais le dévisager d'un air stupide car il reprit :

— Je crois que vous avez du mal, avec votre porte d'entrée… Je me disais qu'avec ceci… ?

Je hochai la tête, mais à peine, craignant qu'un mouvement trop vif n'aggrave un peu plus mon envie de pisser. Le saisissement venait déjà de me faire frôler la catastrophe.

M. Mesnard prit pour de la timidité cette réserve toute périnéale. Il crut bon de sourire, sans doute pour me rassurer. Comme il me dévoilait son ratelier, la minuterie s'éteignit, laissant sur ma rétine aveuglée le monstrueux phosphène de son clavier jaune.

Je sentis sa main glaciale me frôler insidieusement. Je me mordis les lèvres jusqu'au sang. C'en était donc fini de moi...

Il y eut un "clic!".

Dans la lumière revenue, M. Mesnard, agenouillé, tournevissait avec application dans ma serrure. Il démontra au fait une science étonnante, puisqu'en quelques secondes à peine ma porte se résolut enfin à s'ouvrir.

Puis il se releva avec peine, et me dit :

— Vous voyez, madame, ce n'était rien.

J'éprouvai un soulagement mitigé. J'allais pouvoir rentrer chez moi, soit. Mais j'avais beau repousser au plus profond cette idée déplaisante, *chez moi*, je ne m'y sentirais jamais plus en sécurité. Mon intimité, désormais, se révélait à la merci du moindre bricolage.

Je remerciai M. Mesnard le plus chaleureusement du monde.

Il me quitta en s'éloignant à reculons, tout en me déclinant de discrètes courbettes, comme un valet de théâtre. Ce vieux était complètement cinglé.

Je l'accompagnai du regard, un sourire tétanisé aux lèvres, cramponnée à la porte, m'apprêtant à la lui claquer au visage s'il faisait mine, tout à coup, de se ruer vers moi.

À peine eut-il disparu dans son antre que je fermai à double tour.

Un instant j'eus l'idée, à huis clos, de tirer la commode, mais je me contentai de caler une chaise en oblique, afin de condamner la poignée.

Le lendemain, je courais les agences.

Deux semaines plus tard, j'avais déménagé.

LA PARENTHÈSE

Les jours passent trop vite quand ils sont tous les deux.

Il voudrait que le temps se fige, que les chiffres s'arrêtent au cadran du réveil. Que rien ne soit marqué, dans le livre comptable, des moments où elle est avec lui.

Il voudrait que ça dure.

Elle va le quitter, repartir. Elle va le laisser seul, dans cet appartement où rien ne le retient, si ce n'est l'instant où elle vient, ces intervalles de lumière dans la morne suite des jours.

Il reste trois quarts d'heure, à peine.

Est-ce que le sac est prêt? Est-ce qu'après son départ, il ne trouvera pas, éparpillées ici ou là, quelques traces de son passage? Un tee-shirt oublié, dans la salle de bains. Une jupe. Un chouchou de tissu où s'accrochent des cheveux bruns, un peu frisés, parfumés à la pomme.

Il redoute et il aime retomber sur ses traces. Tout ce qui lui appartient, qui porte son odeur, tout lui serre le cœur. Il l'aime tellement.

Aimer ne suffit pas à exprimer le plein, à mesurer le vide. Il lui faudrait un verbe neuf, assorti à ses yeux, à ses rires. Un verbe attendrissant comme elle l'est au réveil.

Un verbe de lait tiède.

Pour l'instant, elle déjeune, les yeux ensommeillés dans le lundi matin. Elle ne dit rien.

Il lui caresse les cheveux. Elle soupire, agacée, hausse un peu les épaules, esquisse un geste pour le fuir, repousser la main qui la touche. Ce n'est pas l'heure, il le sait bien.

Il y a des moments pour l'aimer, d'autres pour la laisser tranquille. Elle n'est jamais du matin. Elle boude dès le réveil, il faut du temps pour qu'elle s'éclaire, mais cela n'a pas d'importance. Il l'aime même à ciel couvert.

Il faut respecter ses silences.

Parfois elle pépie, elle ne s'arrête plus. Il rit de ses questions incessantes et absurdes, et du sérieux de ses yeux noirs. Son attente obstinée, avide de réponses qu'il doit inventer quelquefois, car il ne peut la décevoir.

D'autres fois elle se tait, elle a des gravités intenses, surprenantes.

Il ne veut plus la partager.

Il la veut pour lui seul et tant pis pour les autres. Il sait depuis toujours qu'elle va le quitter. Mais il la veut pour lui, encore un peu de temps. Ils se sépareront bien sûr, c'est évident. Elle taillera la route. Un jour viendra de mails et d'appels espacés. Un jour viendra où ses rires ne lui seront plus destinés. Mais pas maintenant. Il ne supporte plus les horaires de train stupides, ce temps volé d'un lieu à l'autre pendant lequel elle reste seule, et lui aussi, pourquoi ? Pour rien.

Il ne supporte plus les adieux trop rapides, bientôt happée par d'autres bras, déjà loin.

Manquante déjà.

Elle est fragile.

Elle passe du rire aux larmes, elle est toute d'intempéries, de coups de vent et d'accalmies.

Elle est unique.

Rien ni personne ne pourra jamais prendre sa place. Il a aimé, il aimera. Mais, pour elle seule, il aura des patiences intarissables, des mots d'amour particuliers, idiots et tendres.

Il la découvre à chaque fois. Elle le bouleverse.

Sitôt aperçue dans la foule de ces vendredis soir où le miracle a lieu, il ouvre grands ses bras, elle court s'y jeter comme elle sauterait dans le vide, les yeux fermés, toute en confiance.

Il la recueille en vol, ma puce, ma princesse, mon amour de ma vie.

Elle éclate toujours de rire.

Alors il la soulève et la fait tournoyer, si légère. Légère oui, comme une plume. Il l'embrasse à petits bisous sur les paupières refermées, le bout du nez, les lèvres roses. Il enfouit son nez au pli chaud de son cou, la hume, la respire. C'est un bonheur trop intense pour lui, qui le déborde et lui fait un peu mal, comme un soleil qui réchauffe et qui brûle.

Sans elle, c'est la nuit. Trop d'elle, c'est… Il ne sait pas, il n'est pas rassasié.

Il est toujours en manque d'elle.

La parenthèse est bien trop courte, toujours trop vite refermée.

Les minutes ne passent plus, elles dévalent et se bousculent, c'est la fuite en avant, l'évasion éperdue, l'hémorragie de secondes perdues à se dire que le temps passe.

Il l'aime. Ça prend du temps et ça prend de l'espace.

Quand elle est là elle le bouscule, elle demande, exige. Elle veut.

Elle a des folies de chaton et des épines au bout des pattes.

Quand elle se fâche, elle l'égratigne. Elle dit qu'elle ne l'aime plus, qu'elle veut repartir chez elle. Ces mots-là lui brisent les ailes. *Chez elle.* Même si elle ne le pense pas.

Et il a beau ne pas la croire, il craint toujours d'être aimé moins.

Et si, demain ?

Elle pleure, elle s'illumine. Elle veut des câlins, des surprises, la vie dans du papier cadeau.

Elle chiffonne ses certitudes, fiche en l'air sa vie bien réglée, elle lui fait tout oublier.

Elle l'épuise.

Elle le réanime.

Elle a fini son déjeuner, elle pose son bol dans l'évier et file se laver les dents, il ne faut pas rater le train. Il ne faut pas, quelqu'un l'attend.

L'Autre, qu'elle aime aussi, qui le remplacera, qui s'occupera d'elle et mieux que lui peut-être.

Il ne veut plus la partager.

Il ne veut plus de l'appartement vide, ni du couvert unique sur la table. De ces jours inutiles où elle existe ailleurs, et le laisse loin de ses rires.

Vivre sans elle est un exil.

Mais elle est prête. Elle l'attend.

Il prend son sac, toujours trop plein, toujours trop lourd. Elle descend l'escalier de son pas de cabri. Il la suit, s'attendrit encore des boucles échappées, sur sa nuque, du bonnet de travers, de l'étiquette de son pull qui sort un peu à l'encolure, de tous ces riens qui parlent d'elle.

Ils longent le jardin où ils sont allés samedi, après le cinéma.

Il y avait des canetons tout neufs, dans le bassin. Petits bouchons de duvet pâle et de plumes à peine formées. Elle s'est extasiée. Elle adore les animaux. Ils sont restés longtemps à les regarder pédaler dans le sillage de leur mère, en flottille désordonnée. À contempler la trace de leur nage, leur chemin sinueux dans les bouquets d'herbe touffus, tout le long de la berge.

Ensuite ils ont mangé dans une crêperie. Elle est gourmande, comme lui.

Ce soir il refera le compte des bonheurs, il se repassera le film, tout le film, depuis qu'elle est là, dans sa vie, depuis qu'elle est là sans y être.

Huit ans déjà.

Comment peut-on vivre ainsi séparés, quand il y a tant d'amour et de choses à se dire ? Comment peut-on laisser les années s'écouler, gâcher le temps, dilapider les heures ?

Se manquer, qu'est-ce qu'il y a de pire ?

Voilà, il faut se dire au revoir.

— Tu téléphoneras ?

Oui, c'est promis, elle le fera.

Il lui enverra les photos du week-end, sur son mail ?

Bien sûr.

Sitôt rentré chez lui, chez eux, il les mettra sur son ordinateur, comme toujours, avec la date.

— On se revoit dans quinze jours ?

Elle ne sait pas.

Tout dépendra de l'Autre. Elle l'aime aussi, autant. C'est comme ça.

Elle sait bien qu'il est triste, qu'il fait semblant de rire, qu'il fait le pitre pour ne pas laisser les larmes s'épancher. Elle le sait. Elle fait semblant, également.

Elle rit aux éclats, même s'il n'est pas drôle.

Le train est là, il l'accompagne, monte avec elle pour caser le sac trop lourd pour ses épaules, il la serre encore une fois, l'embrasse, lui sourit.

Puis il descend, et aussitôt la cherche. À quelle place est-elle assise ?

Elle colle son nez sur la vitre, lui fait une grimace, souffle de la buée, dessine un petit cœur.

La voix suave d'une femme dit que le train va partir. Qu'il faut prendre garde à la fermeture des portes.

Elle dit aussi que lui, là, sur le quai, il va sûrement mourir de trop de larmes qu'il cherche à retenir. Qu'il devrait s'y faire, quand même ! Que ce n'est pas la fin du monde, un train qui part en arrachant de lui, au ralenti, dans un chagrin atroce, un petit nez collé sur la vitre embuée, de grands yeux noirs qui le mangent en entier, de longs cils de gazelle qui battent un peu trop vite, des lèvres roses qui miment un baiser.

Et qu'il n'est pas le seul au monde à être un père divorcé.

CE SOIR, C'EST FÊTE!

Décembre est sans pitié, cette année. Après dix jours de pluie, il y a eu du vent, et puis voilà qu'une saleté de neige a commencé à tomber ce matin.

Lucienne n'a pas arrêté de s'extasier – que c'est joli!… – pendant que Gilbert pestait, tout en bataillant avec une pelle en plastique ébréchée, pour dégager l'entrée.

— Joli, joli!… Je t'en foutrais! Emmerdant, oui! Si on trouve pas le moyen de se casser une guibole, avec ça! Un coup de gel par là-dessus, ce sera plus un chemin, ce sera une patinoire!

— Faudrait mettre du sel… a dit Henriette. C'est bien, le sel, pour pas glisser… Ils vont peut-être nous en mettre, tu crois pas? Ils en ont mis, au centre-ville.

— Ouais, mais nous, on n'y est pas, au centre-ville. Alors le sel, compte dessus! Tiens, passe-moi une bière, plutôt, ça donne soif, de s'escrimer comme ça.

Le ciel se traîne à ras de terre, il est d'un blanc crayeux sans espoir d'éclaircie.

Le chantier du dernier immeuble a bien avancé. Le terrain alentour a été nivelé et, depuis, la terre trop tassée, détrempée, est pointillée de flaques iri-sées d'huile sombre.

En janvier, la maison sera démolie.

En fait de maison, il s'agit d'une grande cabane en planches au toit en tôle ondulée. Elle est agré-mentée d'un auvent, sur le seuil, et d'un abri sur le côté. Il y a des toilettes, derrière. Le trône, c'est une planche avec un cercle découpé, qui surplombe la fosse. En sortant, on y jette une pelletée de terre, pour recouvrir ce qu'on a laissé. Autour de ce palace, un reste de gazon mité, une clôture en grillage à poule défoncée, deux rosiers maladifs et un potager anémique, plus une tripotée de chats au poil terne et au regard fou, qui s'enfuient au moindre mouve-ment. Du cabanon, un vague chemin délimité par des demi-pneus rejoint ce qui sera bientôt le parking du dernier immeuble, vaste étendue lisse et noire, sur laquelle les ouvriers ont tracé et numéroté les emplacements des voitures, à la peinture blanche.

— Des malades ! Ce sont des malades ! Ils finis-sent le parking avant d'avoir terminé le bâtiment ! Ils n'ont qu'à faire le toit avant les murs, tant qu'à y être… a ricané René, le jour où il a vu débarquer la traceuse.

— Qu'est-ce qu'on s'en fout, a grogné Gilbert. On compte pas leur acheter un appart !…

Lucienne a ri.

Elle rit tout le temps.

Ils sont cinq à vivre ici : René et sa femme Hen-riette, Gilbert, Juan, et Lucienne.

Le plus ancien, c'est Juan. Lorsqu'il est arrivé d'Espagne – il y a plus de quarante ans – il n'y avait pas une seule tour, dans le quartier. C'était une zone de petits pavillons entourés de jardins ouvriers, qui plastronnaient derrière leurs façades agrémentées de balcons aux balustres en ciment moulé, arborant comme des médailles leurs plaques émaillées *Villa Mon Rêve*, ou *Mon Repos*.

À l'époque, Juan a trouvé sans peine un emploi d'homme à tout faire, dans le quartier : peintre, maçon, carreleur, vitrier… Il était jeune, vigoureux. Dur à la tâche. Il a appris le français sur le tas, sur le vif, et dans le fond des verres. Il a construit cette cabane, sur une bande de terrain enclavé dont nul ne savait plus à qui elle appartenait. Personne n'ayant jugé utile de l'en faire partir, il est devenu locataire sans bail, sans charges ni loyer. Le voisin lui a laissé un droit de passage le long de sa clôture, à condition qu'il élague ses arbres et tonde sa pelouse, ce dont il s'est acquitté pendant presque trente ans.

Gilbert a débarqué trois ou quatre ans plus tard. Il descendait de Belgique, s'y connaissait pas mal en plomberie, en cuisine et en bière brune. Juan et lui se sont rencontrés au café du coin. Ils se sont découvert quelques affinités. Juan a pris Gilbert comme colocataire. Entre les deux hommes s'est tissée, au fil des ans, une amitié solide et sans discours.

Le grand blond tirant sur le roux, un peu gras sur les hanches, râlait et faisait le frichti.

Le petit brun sec et nerveux soupirait et tâchait de gagner la croûte.

Tout allait presque bien.

Pourtant, les signes annonciateurs d'un changement profond apparaissaient déjà.

Les promoteurs s'arrachaient les terrains à vendre, regroupaient les parcelles et planifiaient un monde fonctionnel. On voyait fleurir les zones commerciales, s'élever des quartiers de barres et de tours. Bientôt, les pavillons, les petits jardinets ne seraient plus qu'un souvenir.

La cabane s'est retrouvée lentement isolée au beau milieu d'un terrain vague cerné de palissades. Puis enkystée dans un tissu de plus en plus serré de routes, de chantiers, de hangars. Dans le même temps, après une embellie, la vie devenait difficile. Les prix montaient en flèche, le chômage flambait. On achetait toujours plus, on gagnait toujours moins. Des existences basculaient, presque du jour au lendemain, glissant du pavillon au HLM, du HLM au foyer, du foyer à la rue.

Un jour de février, Lucienne a poussé la porte, sans même avoir toqué, alors qu'un nouveau chantier venait d'assassiner la maison des voisins et celle de derrière.

Vieille comme les rues, sale, trempée de pluie, elle possédait pour seule richesse un cabas en plastique dans lequel elle rangeait sa fortune : une pince à cheveux en plastique, une serviette de table à carreaux bleu et blanc, et une paire de pantoufles roses aux pointures dépareillées.

En découvrant les deux hommes attablés, en pleine partie de belote, elle n'a pas semblé surprise. Elle s'est juste exclamée :

— Ben ça, il fait pas chaud !

Et pour prouver ses dires elle a fait le tour de la table, pour venir mettre ses mains dans les grandes pattasses de Gilbert qui, ne sachant qu'en faire, les a gardées dans les siennes serrées.

Lucienne n'a guère plus de cinq ans, dans sa tête.

Cinq ans et tous les rêves, les rires et les peurs qui peuvent aller avec. Les deux hommes l'ont recueillie comme un chaton perdu. Qu'auraient-ils pu faire d'autre ?

Gilbert a bien râlé, pour la forme, et parce qu'il avait une réputation à tenir.

— C'est pas l'hospice, chez nous, merde !

Juan a soupiré, changé son mégot de côté et, quelques jours après, il a monté une cloison dans la cabane, pour que chacun ait son intimité. Deux hommes, ça peut se laver la couenne l'un devant l'autre à poil dans la bassine, pas de gêne entre soi. Mais avec une femme, même si ce n'est qu'une vieille gâteuse, il faut de la pudeur. Maintenant il y aurait, d'un côté, une chambre pour elle et, de l'autre, une chambre pour eux, qui servirait aussi de cuisine et de salle à manger.

L'année suivante, René et Henriette sont arrivés à leur tour, au début de l'été, par un jour de chaleur à crever. On les a vus se pointer au grillage, regarder avec envie les trois pieds de salades, et l'ombre sous l'auvent que Juan s'était décidé à monter audessus de la porte, pour garer l'entrée de la pluie et Lucienne des insolations.

En les voyant cramponnés à la clôture, Gilbert a ouvert brusquement, il s'est avancé sur le seuil, en poussant en avant son gros ventre, comme si ça devait suffire à faire fuir les intrus.

— C'est pour quoi ?

René a brandi une bouteille à demi pleine, en guise de bonjour. Dans son dos, Henriette présentait humblement leur offrande : une chaise pliante, qu'elle venait de trouver.

Gilbert a gueulé :

— Qu'est-ce que vous voulez qu'on en foute, de vos roupilles ? On fait pas Emmaüs, ici, bordel de merde !

Il est rentré sans refermer la porte. Lucienne est sortie à son tour, pour leur faire coucou. Alors ils se sont avancés, l'un dans les pas de l'autre, avec circonspection. À l'intérieur, Gilbert avait déjà posé deux autres verres, sur la table.

Juan a soupiré de nouveau. Puis comme la cabane s'avérerait désormais trop petite, il a bâti une nouvelle chambre, mitoyenne, avec du Siporex et quelques madriers de récupération qui ont dû faire défaut aux ouvriers d'un des chantiers voisins.

Ensuite, sur une planche, à l'entrée du chemin, il a peint en grosses lettres : on ai complés !

Pour l'heure, ils se sont installés sous l'auvent, sur ce qu'ils ont pompeusement baptisé *la terrasse :* trois mètres carrés recouverts de carrelage de récupération, posé à même le sol, sans aucun ragréage. L'herbe a poussé entre les dalles.

Assis sur les banquettes de voiture qui servent de salon de jardin, ils boivent leur café en silence et regardent tomber la neige, en se chauffant les mains sur leurs verres fêlés.

Vincent Monet s'est levé tôt.

Ce n'est pas dans ses habitudes. Seulement là, c'est pour le boulot.

Il se regarde dans la glace, il a encore grossi, bon Dieu ! Pourtant ce n'est pas ce qu'il mange, deux fois rien, pas plus qu'un oiseau. En enfournant son bol de céréales et ses trois œufs au plat, en caleçon dans sa cuisine, il se dit que c'est pas normal de prendre autant de poids, comme ça, sans raison.

Sur le canapé, il a posé la tenue qu'il mettra tout à l'heure. D'habitude, il s'habille sobre : futal clouté, cuir noir, poignets de force, lunettes miroir, bottes pointues à éperons, vieux casque de moto et tee-shirt noir marqué, suivant l'humeur, I Fuck U *en lettres gothiques, ou bien* Natural Born Biker. *La classe.*

On le surnomme Vince, ou la Castagne. Certains se risquent même à l'appeler Papi, mais ce sont des intimes. Faut pas trop le charrier sur sa blancheur Persil : cheveux, barbe, sourcils.

Même les poils du ventre et du dos, et du reste, qui s'y mettent. Il n'est pas vieux, d'accord ?

À soixante ans on n'est pas vieux. On a de l'âge.

Il peigne sa barbe avec soin, l'étale bien sur sa poitrine, puis brosse ses cheveux qui lui arrivent aux épaules. Les autres jours, il les attache. Et le premier qui viendra lui dire que la queue de cheval c'est une coiffure de gonzesse, il se mangera un coup de boule. Cette coiffure-là a été inventée par Cadhogan, un général anglais. Mais bon, pour aujourd'hui – contrat oblige – on ne fait pas de catogan : on laisse flotter les rubans.

Il fait ce job depuis sept ou huit ans, quelques jours d'affilée. C'est à l'autre bout de la ville, sinon y aurait pas eu moyen. Faut voir ça comme un boulot d'acteur, de la figuration, d'accord. N'empêche, on fout en l'air une réputation pour moins que ça... Seulement ce taf l'arrange bien, en fin d'année, vu ce qu'il touche avec sa retraite... La retraite, déjà ?! Putain !

La première fois qu'il a fait ce travail, il était sacrément dans la dèche. Plusieurs mois de chômage, des crédits jusque-là, sans compter sa meuf qui s'était barrée sans lui laisser d'enfants pour lui payer l'hospice. Et sa mère qui commençait déjà à partir en sucette.

En plus, il faisait froid. Tout pareil qu'aujourd'hui, tiens ! Le même temps merdique, neige, ciel gris, gel sur les vitres. Au bout du rouleau, il était.

Trois jours de plus et il vendait sa Lolita pour vivre, sa Harley Davidson. Une Early Shovel 66 dans son jus d'origine, avec les sacoches rigides, une pure merveille, pas trop de chrome ni de custom. Juste son nom, Blue Lolita, calligraphié au beau milieu du réservoir, pour la garder entre ses cuisses. Du vrai travail d'artiste.

Fourguer sa Lolita ? La brader pour acheter sa bouffe ou payer son loyer ? Comme si c'était n'importe quelle chiotte italienne ? Plutôt crever !

Vince avait sérieusement envisagé d'en finir. Il enfourcherait sa belle d'amour, il prendrait la bretelle sud pour l'emmener faire une longue balade, pour écouter encore une fois sa belle voix un peu rauque et voilée, cette voix de Harlem qu'ont toutes les Harley. Et au retour, au lieu de passer sous le pont en construction, après la sortie d'autoroute, il enquillerait la voie barrée, celle qui mène au pont, justement. Il pousserait les gaz, roule ma belle, il défoncerait les barrières et ce serait le grand plongeon.

Adieu les cons.

Le jour où il avait décidé de mettre un point final, avant de s'engager sur la bretelle sud, il s'était arrêté pour prendre un pack de bières. Mourir d'accord, mais pas de soif.

C'est là, devant le grand magasin, que ce mec était venu le racoler :

— Vous ne chercheriez pas un emploi pour la semaine, par hasard ?

Vince avait dit :

— Faut voir.

Le gonze lui avait tout expliqué en deux mots.

D'abord, Vince s'était dit que ce type était en train de se payer sa tronche. Mais l'autre avait su se montrer persuasif. Son employé habituel s'était fait renverser par une voiture, la veille au soir, en rentrant chez lui. Mort sur le coup, vous parlez d'une chance.

— Notre clientèle va s'étonner, s'il n'est plus là, vous comprenez...

— Ouais, et alors ?

— Eh bien, lorsque je vous ai vu, là, en train de boire votre bière, je me suis dit que vous aviez tout à fait le physique de l'emploi...

— ...?!

— Si, si, je vous assure ! Et puis ce n'est pas fatigant : vous vous promenez sur le trottoir, devant le

magasin, de neuf heures à vingt heures, avec une pause d'une heure au déjeuner.

Vince avait secoué la tête. Non, franchement, c'était un truc de naze. Il suffirait qu'un pote à lui passe dans le coin... Puis son regard s'était posé sur sa Lola, sa Lolita, sa beauté, qui l'attendait sur le trottoir, gracieusement penchée sur sa béquille. Elle semblait lui dire : Fais un effort, mon biker, mon héros. Si tu voulais, on aurait encore de beaux jours, toi et moi, tu sais bien.

Et il avait dit oui. Oui à tout. À ce déguisement ridicule, à tous ces beaufs qui le dévisageaient avec un sourire béat. Oui aux gamins qui s'agrippaient à lui, parfois. Et, dans ces moments-là il lui en fallait, de la maîtrise, pour ne pas les mettre en orbite à coups de pied au cul.

Et puis, allez savoir pourquoi, il avait fini par se faire à ce job. Il y trouvait même un vague plaisir, qui le laissait un peu honteux mais, bon, c'est la nature humaine : on a tous quelques angles morts. Être fort, c'est savoir accepter ses faiblesses.

À la fin de son engagement, cette année-là, le type lui avait dit :

— Vous avez été très bien, monsieur Monet ! Si vous êtes toujours partant, moi, je vous réembauche, l'an prochain. Qu'est-ce que vous en dites ?

— Faut voir, avait répondu Vince.

Puis, en démarrant Lolita, il avait ajouté :

— Je suis pas contre.

Voilà pourquoi, à cette heure-ci, Vince roulait pépère sur le boulevard de la Libération, son barda dans les sacoches, pour aller prendre son poste, comme il faisait depuis six jours déjà, et pour le dernier soir.

En ville, ils se seraient battus pour un emplacement de trottoir, un carton assez propre pour se coucher dessus, un bon coin pour faire la manche.

Ici, c'est autre chose. Le terrain vague est un univers hors du temps. Ils s'y sont regroupés tout naturellement, sans états d'âme. Ils se garent de la tourmente en divisant le peu, en partageant le rien. Chacun son caractère, son histoire, et son rôle.

Gilbert, c'est le mauvais coucheur. Il gueule pour un oui pour un non, mais il parvient toujours – sans qu'on sache comment – à réjouir les estomacs, au moment des repas.

Juan ne dit rien. Il garde toute la journée une cigarette collée sur le coin de la lèvre, éteinte, la plupart du temps. Il entretient sa cuite à petites gorgées, mais jamais on ne le voit soûl. Trop âgé maintenant pour louer ses services, il se charge de la maintenance de cette coquille de noix, qui sera bientôt engloutie sous le lent tsunami de béton. En attendant le naufrage imminent, il repeint les cloisons, il répare la porte, calfeutre la fenêtre, change quand il le faut la cartouche de gaz.

René a fait de la prison, on n'a pas demandé pourquoi. Il en a gardé de très beaux tatouages, qui virent au bleu clair, vu son âge. Il parle comme un livre, il se tient comme un lord. Malgré la dèche, il s'habille très convenable. Il lit tous les matins le journal de la veille.

Sa compagne Henriette est grande, grosse et laide, d'une belle laideur avenante. Elle a travaillé en usine pendant vingt ans, huit heures par jour au même poste, avec les mêmes gestes. Puis elle est partie à l'aventure. Elle en a vu beaucoup, elle en a beaucoup fait. Elle est usée jusqu'à la trame et tousse du matin au soir entre deux bouffées de mégots. Elle n'a pas son pareil pour dénicher des choses, à la décharge. Elle repère aussitôt le matelas en bon état, la casserole presque neuve. Elle chante souvent, très faux, d'une voix de basse éraillée, une voix de vieux Noir qui s'en irait des bronches.

Le plus jeune de tous, c'est Gilbert, qui va sur ses soixante-dix ans.

La plus âgée, c'est sans doute Lucienne, qui doit frôler les quatre-vingt-dix. Personne n'en sait trop rien. René pense qu'elle a fugué d'un hôpital de fous où elle devait moisir dans la section des vieux. Quand les services sociaux viennent faire leur tour, on la planque.

Lucienne, c'est le chouchou, la mascotte. Avec ses yeux bleus étonnés, ses cheveux blancs frisottés dans lesquels elle met des ficelles de toutes les couleurs, sa silhouette frêle, et ses rires, on dirait une vieille poupée.

Entre les petits boulots, la récupération, les manches occasionnelles, tout ce petit monde vivait sans trop d'angoisse, au jour le jour, jusqu'à il n'y a pas si longtemps. Mais voilà, l'urbanisme est passé : il va falloir décaniller d'ici. Oui, pas de doute, en janvier, la maison sera démolie.

Du coup, depuis quelques jours, l'ambiance est maussade. Ce temps pourri, ce froid. La mauvaise toux d'Henriette. Le rhumatisme sournois qui ronge l'épaule de Juan. Gilbert, qui a laissé brûler l'omelette, avant-hier.

Même Lucienne, qui commençait à se laisser gagner par la morosité générale, jusqu'à ce matin où la découverte de la neige dans l'allée l'a plongée dans un enchantement extatique. Depuis, elle n'en finit plus d'aller vérifier dehors si ça tient encore dans le rosier et sur les pneus, puis elle revient, les mains remplies de sucre glace qu'elle dépose sur la table et qu'elle regarde fondre en silence, ravie. Peu lui importe si, à chaque fois qu'elle entre ou sort, un courant d'air glacial envahit la pièce.

— T'arrêtes un peu tes va-et-vient, Lulu, tu vois pas qu'on se gèle ! Tu vas nous faire choper la crève, merde ! explose Gilbert, comme il la voit se diriger vers la porte pour la dixième fois.

Juan essuie ostensiblement la nouvelle flaque d'eau qui vient de se former sur la table.

— C'est sûr, avec ces courants d'air ! approuve Henriette entre deux quintes. J'ai pas envie de calancher pour Noël, moi !

René lève les yeux de son journal d'hier, la dévisage d'un air surpris, revient en première page, vérifie la date, calcule et constate :

— Ah ça ! C'est pourtant vrai qu'on est le 21 !

— Alors, dans quatre jours, c'est Noël ?!… s'étonne Gilbert.

— Ben oui ! confirme Henriette.

Tout s'arrête. Un ange passe.

Gilbert fait du café et pose sur la table un paquet de biscuits qui a dû tomber d'un étal, au marché. Ensuite il va chercher la bouteille d'alcool de prune que leur a donnée leur ultime voisin, juste avant de déménager.

Gilbert fait partie de ces gens qui croient que remplir l'estomac ça vide les chagrins.

Il n'a pas forcément tort : un quart d'heure plus tard, attablés devant leur café arrosé et tétant leurs biscuits du bout de leurs gencives, les cinq membres de l'équipage se remémorent, la larme à l'œil, les beaux Noël de leur enfance.

Même Juan, toujours fermé à clé, voilà qu'il évoque en deux mots son enfance en Espagne, dans cette pauvre Estrémadure de collines pelées et de troupeaux de chèvres. Les cadeaux simples et utiles, chemise neuve ou paire de souliers.

Gilbert se souvient des Noël en Belgique, tout seul avec sa mère. La messe où ils allaient tous les deux, l'église humide, mal chauffée par les braseros.

René parle à son tour, décrit le sapin coupé en forêt par son père. Les premiers patins à roulettes, une folie, qu'il avait fallu partager entre les quatre frères, la sœur étant encore bébé.

— Mon père nous les réglait, chacun son tour, pour la semaine. Le dimanche, il appelait l'un d'entre nous, on posait le pied sur la semelle et à petits coups, top, top, il nous mettait ça à la bonne pointure. Bon sang, on les a gardés des années, ces patins !...

René a les yeux rêveurs. Henriette en oublie de tousser, en l'écoutant. Ensuite, elle raconte le réveillon sans messe, dans sa famille communiste. Son père, qui gueulait à qui voulait l'entendre que Noël c'était la fête aux commerçants, mais qui se déguisait en père Noël, le soir venu, pour leur apporter les cadeaux.

Et là, Lucienne dit, de sa voix de cristal fêlé :

— Moi, je ne l'ai jamais vu, le père Noël ! Quand même, j'aimerais bien le voir en vrai, un jour. Et avoir des cadeaux. Ça oui, j'aimerais bien.

Les autres la regardent.

L'ange revient.

Il s'assied sûrement boire un coup avec eux, parce qu'on n'entend plus rien…

Vince jette un coup d'œil à sa montre. Dix-neuf heures cinquante-cinq. Plus que cinq minutes à tirer et c'est bon : il rend sa tenue de guignol, reprend sa Lolita et file voir sa mère.

Elle a enfin sa place à la maison de retraite. Un grand-père vient de claquer, ça libère une chambre. Maintenant faut réserver les places pour ses vieux, comme pour les petits qu'on veut mettre à la crèche. Sur liste d'attente, on les met. Enfin voilà, dans quelques jours elle y sera. C'est pas qu'il veuille s'en débarrasser, seulement ça devient difficile, parce qu'elle part en vrille. L'autre jour elle lui a dit "Jeannot", comme à son père. Elle y voit à dix centimètres, elle devient sourde comme un pot, elle est pourrie d'arthrose. Quatre-vingt-neuf ans aux jonquilles. Alors une aide ménagère, ça ne suffit plus maintenant. C'est son dernier Noël chez elle, il va falloir qu'il la prévienne. Mais pas ce soir.

Ce soir, ils réveillonnent en amoureux, comme il dit pour la faire rire. Tant qu'elle se tient bien à table, c'est que la vie est là, pas vrai ? N'empêche, ça lui fout le cafard quand il la voit comme ça. Alors, après l'avoir couchée, Vince ira au billard pour retrouver ses potes, et peut-être au Nain Jaune, pour finir la soirée ?

En attendant, ça caille. Vince fait lentement les cent pas devant la vitrine illuminée, en regardant de temps à autre les deux clodos postés en face, de l'autre côté de la rue. Ça fait déjà trois jours qu'ils viennent. Ils restent là, une heure ou deux, ou davantage, à le mater en se poussant du coude et en se marmottant des choses dans l'oreille. Il y en a un tout sec et tout fripé, la casquette vissée jusqu'aux sourcils et le mégot collé aux lèvres. L'autre est un gros balourd au teint rose, taillé comme une poire. Ils se partagent une bouteille, à petites lampées. Vince leur jette un coup d'œil énervé. Plus ça va, plus ça le démange d'aller leur mettre une mandale. Mais un petit mouflet haut comme deux canettes vient lui tirer la manche pour lui faire un bisou. C'est le dernier de la soirée, et mieux encore : de l'année ! Du coup, Vince se penche et fait péter un smack ! sur les joues rebondies.

Ensuite il se dirige à pas lourd vers la petite entrée, celle du personnel, pour aller rapporter ses fringues. Il en est à dix mètres à peine lorsqu'il se trouve nez à nez avec une vieille, presque aussi grande que lui et moche à faire peur. Elle lui sourit, ce qui aggrave son cas, et dit d'une voix cassée :

— Faudrait que vous venez avec moi, s'il vous plaît.

Vince hausse les épaules – dans tes rêves, ma grosse! – et va pour passer son chemin, mais la vieille jument se met devant lui et lui barre la route, les bras larges écartés.

Vince c'est un sanguin, mais sa devise c'est : cogner ça sert à rien, sauf quand c'est nécessaire. Et puis il ne va pas bousculer une mémé, tout de même! Il grogne :

— *Vous voulez quoi?*

— *Faut que vous venez, je vous dis. Ça va pas vous durer longtemps.*

Vince se dit qu'elle est barjot, c'est clair, et que ça sert à rien de causer avec elle. Suffit de la calmer, c'est tout. Pour tenter de l'amadouer, il sourit et répond :

— *OK, OK, je viens, mais je dois rapporter mes affaires, d'abord. Après, vous m'expliquerez votre problème, d'accord?*

Il se tirera par l'autre côté, oui! Elle pourra toujours rester là, à l'attendre.

La vieille secoue la tête, elle insiste :

— *Non, non. Faut que vous venez comme ça.*

Vince commence à y voir un peu rouge. Il prend la vieille aux épaules et la pousse sur le côté, pas trop fort, en grommelant :

— *Bon, écoute : moi, je te connais pas, je sais pas ce que tu me veux! J'ai fini ma journée, et je rentre chez moi, OK? Me fais pas chier!*

Bas les pattes, gamin! fait une voix, dans son dos.

Vince se retourne.

Les deux clodos sont là. L'un des deux, le plus sec, s'est adossé au mur, juste à côté de sa Harley. Il tient un tournevis dans la main, et répète :

— Bas les pattes, d'accord ?...

Vince devine l'intention, dans le geste à peine ébauché. Il se sent submergé de rage et d'impuissance. Le tournevis est à un centimètre à peine du réservoir de Lolita. Un geste brusque et c'est l'irréparable : la rayure fatale. Des heures de boulot pour remettre en état !

Vince lâche la folle.

— Putain, vous voulez quoi ? J'ai pas de fric, j'ai rien !

— Tu lui as pas dit ? *s'étonne l'autre vieux, en parlant à la grosse.*

— Ben j'ai pas eu le temps ! Il s'est mis en pétard tout de suite !

— On va lui expliquer, alors... *dit le plus maigre.* Mais pas ici.

Il enjambe la bécane à l'arrière et fait un signe à Vince.

— Démarre, je te dirai où aller. Et gaffe, si tu tiens à ta meule !

Vince se dit que pour larguer le vieux, il suffira de piler sur les freins, ou de prendre un virage un peu trop à la corde. Ça doit pas peser lourd, à cet âge. C'est plus rien que de l'os sans trop de viande autour. Mais il ne peut pas se résoudre à faire courir un risque à Lolita. Et, même s'il ne se l'avoue pas, il commence à être intrigué par cette bande de vieux cramés du bulbe. Qu'est-ce qu'ils ont décidé de faire ? Un casse, ou quoi ?

Il met les gaz.

Le grand-père s'accroche à lui fermement. Il crie aux autres :

— On se retrouve à la maison !

Et il gueule à l'oreille de Vince, pour couvrir le bruit du moteur :

— Tout droit jusqu'au rond-point. Après, tu prends à gauche, juste avant l'autoroute. C'est pas bien loin, je te dirai !

Lola roule sur le boulevard. On s'éloigne du centre-ville.

La nuit est adoucie et feutrée par la neige. Il fait froid, mais pas trop.

Lucienne dort, derrière la cloison. On la réveillera au moment du repas. Quand elle dort, on pourrait faire passer un train au milieu de la pièce, elle ne broncherait pas.

Ce matin, avant les éboueurs, René est allé à la récup', pour trouver des choses qui brillent.

La pêche a été bonne : les gens aiment bien changer souvent leurs décorations de Noël. Il a trouvé des guirlandes, des boules, et même un beau sapin en plastique qui fait plus vrai qu'un vrai, à part une ou deux branches un peu cassées, mais il suffit de le tourner du côté du mur, et ça ne se voit plus.

Gilbert s'est occupé du repas de réveillon avant de partir.

Maintenant, René attend le retour des trois autres.

Il fait nuit, c'est presque vingt heures trente. Ils ne devraient plus trop tarder. Il s'en fait un peu pour Henriette. Elle sera restée dehors toute la journée, à farfouiller pour trouver une bricole à chacun, et de quoi faire les paquets. Elle va encore tousser. Mais bon, ce soir, c'est fête !

La maison est bien décorée. Ce sera dur de la quitter sans savoir où aller.

Ce sera surtout dur de ne plus vivre ensemble.

René ne veut pas y penser. Il sait depuis longtemps que l'inquiétude n'empêche pas les chagrins d'arriver. Elle les rend seulement un peu plus difficiles.

À l'entrée du terrain vague, Vince a écouté Juan, sans quitter le tournevis de l'œil. Au début, il n'a pas trop compris l'embrouille. Mais peu à peu, il a commencé à piger ce qu'attendaient ces vieux : un truc de dingues.

À la fin, Juan lui a dit :

— Maintenant, si tu veux te barrer, c'est pas moi qui te courrai derrière. Tu peux partir, si tu veux. Ta brelle, j'y aurais rien fait, de toute façon.

Pourquoi t'avais un tournevis, alors ?

— Tu m'aurais écouté, sinon ?

Vince hoche la tête. Putain, les vieux, quelle galère !

En parlant de ça, faudrait pas que sa vieille se tape des angoisses, à le croire sous un camion ! Il appelle Mme Paulin, la voisine de palier, et lui demande d'aller prévenir sa mère qu'il sera un peu en retard. Puis il se tourne vers Juan, et demande :

— Bon, on y va, ou quoi ? J'ai pas toute la nuit, non plus !

Juan sourit dans l'ombre.

— C'est au chantier, là-bas. Tu vois les grues ?

— Ouais.

— Ben, on est là. La cabane, tu vois ? Le matos est sous l'auvent. Donne-nous dix minutes.

Lucienne a eu du mal à se lever. À son âge, les heures de sommeil déposent un peu de rouille. Mais lorsqu'elle est entrée dans la pièce, au bras d'Henriette, elle s'est réveillée d'un seul coup. La nappe sur la table, les assiettes presque toutes pareilles, les petits pots en verre qui servaient de bougeoirs ! Et le sapin ! Un sapin magnifique, aussi grand qu'elle, couvert de boules de toutes les couleurs et de guirlandes qui scintillent.

Juan, Gilbert, René et Henriette sourient de voir ses yeux qui brillent.

Lucienne s'assied, en face du sapin. Elle le regarde. Elle ne sait plus que répéter :

— Ça, c'est beau, alors ! Ah, ça, c'est beau !

Soudain, Henriette remarque, d'un ton un peu trop appuyé :

— C'est bête, y a pas de paquets, sous ce sapin…

— Tiens, mais c'est vrai ! remarque René. Je ne vois pas de cadeaux !

— Comment ?! Pas de cadeaux ?! s'exclame à son tour Gilbert, d'une voix forte.

Et – pour manifester son dépit, sans doute – il donne un grand coup de poing dans la cloison.

À cet instant, quelqu'un frappe violemment à la porte.

Lucienne sursaute, elle jette un coup d'œil effaré.

— Qui ça peut-y bien être ? demande Juan.

— T'as qu'à aller y voir ! répond Henriette.

Lucienne a un petit rire peureux. Gilbert va ouvrir.

Sur le seuil se tient le père Noël.

Un grand et beau père Noël, frigorifié, avec une barbe neigeuse qui lui recouvre la poitrine, un bel habit tout rouge et blanc et des bottes en cuir, de moto. Un père Noël vraiment splendide, les bras encombrés de paquets, qui chuchote à Gilbert, en entrant :

— Putain, on se les gèle !

Et qui ajoute, bien fort, d'une profonde voix de basse :

— Joyeux Noël à tous !

Sur sa chaise, toute menue, Lucienne le regarde. Mais le mot "regarder" ce n'est pas suffisant : elle ne bouge plus, elle respire à peine, elle mange des yeux ce père Noël géant.

Ce père Noël qui soudain réalise dans quel monde il vient de tomber et qui se sent immense, et encombrant, devant ces petits vieux qui l'entourent, en souriant d'un air complice. Devant cette mémé minuscule surtout, qui lui rappelle une autre silhouette, un autre regard un peu flou. Ce père Noël qui toussote et demande, d'une voix éraillée, tout à coup :

— Heu… Lucienne, c'est qui ?

Et Lucienne lève le doigt, les yeux comme des lacs, sans oser lui répondre.

Les autres rient, plaisantent, pour cacher l'émotion.

Le père Noël s'approche de Lucienne et lui tend le plus gros paquet, tout entouré de papier bleu, avec un beau ruban doré. Il dit :

— Tiens, c'est pour toi.

Lucienne est bouche bée, elle n'est plus qu'un sourire. Elle ne bouge pas.

Le père Noël transpire. Il fait trop chaud, dans ce gourbi, et c'est sûrement pour ça qu'il a la gorge sèche. Il se dit que des soirées pareilles, on ne l'y reprendra pas deux fois.

Il pose maladroitement le paquet sur les genoux de Lucienne et répète :

— C'est pour toi.

Elle baisse enfin les yeux vers son cadeau. Elle voudrait l'ouvrir. Ses mains tremblent. Henriette l'aide à couper la ficelle, à ouvrir la boîte à chaussures. Lucienne regarde. Elle fait :

— Ooooh !

Un instant plus tard, Juan et René raccompagnent le père Noël, en lui donnant du "vous" et en le remerciant bien fort d'être venu jusqu'ici par ce temps, d'avoir pensé à eux…

À quelques pas du seuil, ils tendent la main à Vince. Juan chuchote :

— Merci, petit.

— Oui, merci ! ajoute René.

Vince se racle la gorge, il ne sait pas quoi répondre à ces deux vieux perdus sur leur radeau, sans horizon ni rame, qui l'appellent "petit" et lui serrent l'épaule aussi fort qu'ils le peuvent, de leurs doigts de brindilles. Alors il dit juste :

— Ben non, de rien, c'est moi…

Lorsqu'il démarre Lolita, le froid pique ses yeux et lui brouille la vue.

Sa mère a dû s'endormir devant la télé. Elle aura mis sa jolie robe.

Il faut qu'il se dépêche.

Dans la cabane au milieu du chantier, les yeux toujours fixés sur la porte, une petite fille de quatre-vingt-dix ans tient son premier nounours serré entre ses bras.

LES MARIÉS

Ils sont seuls. Seuls au monde au milieu de la fête. Tout le monde est venu pour eux, on leur a souhaité du bonheur. Du bonheur et de la vie longue, belle, douce, et tout ce qu'on veut.

Ils ont souri, remercié, serré des mains, embrassé des joues, et parfois les baisers se posaient dans le vide – vous savez, ces joues tendues qui gardent malgré tout la distance, ces joues inaccessibles. Et ces bises qui claquent un peu trop fort à l'ourlet d'une oreille. Ou ce choc de pommettes, imprévu, qui gêne, qui surprend et qui laisse confus.

Par moments ils se regardaient, pour se réassurer à la chaleur de l'autre, se dire sans un mot : Tu n'es qu'à dix mètres de moi, mais c'est déjà trop loin ! C'était comme un cadeau, ces regards pour eux seuls que quelqu'un interceptait parfois, par hasard, tout ébloui soudain par ce rai de lumière qui ne lui était pas destiné. Le temps de se ressouvenir de l'amour, autrefois. Ou le temps d'espérer que la chance, bientôt, lui sourirait aussi, que la vie lui offrirait les mêmes certitudes, et la même tendresse.

Les nouveaux mariés sont des galets brillants qui chutent de très haut dans le lac de la foule. Ils font des vaguelettes, qui portent leur douceur jusqu'au sable du bord.

Personne n'est indifférent. Ils remuent les cœurs, les bouleversent.

Il y a eu la cérémonie, les personnes âgées guidées par les plus jeunes pour monter sans encombre les quelques marches qui menaient à la salle des mariages.

Le discours du maire, ronron.

Les petits rires quelquefois, les pleurs discrets d'un bébé qui s'éveille, des murmures.

Puis la pénombre de l'église, sa fraîcheur bienvenue après la chaleur de fournaise qui écrasait le marbre du parvis.

Le sermon du curé, ronron.

La sortie de l'église, le riz jeté, les fleurs, les applaudissements, lès piaillements excités des enfants. Le bleu du ciel, la blancheur aveuglante des pierres, le crissement sonore des insectes d'été. Et les groupes qui sc formaient, par famille, par âge. Et puis par habitude.

Ensuite, le repas, jolies tables dressées à l'ombre des grands arbres, nappes blanches, fleurs et dragées, plumes, entrelacs de rubans et de feuilles, chemins de table dérisoires mais beaux comme des œuvres d'art éphémères.

Ce bonheur de l'instant, dont il faut profiter. À peine là, déjà passé.

Dernier zonzonnement des guêpes, dans le soir. Chaleur lourde des canicules, repoussée par les éventails. Tintement de grelot des verres, parfum des petits-fours, qui ouvre l'appétit.

Les mariés, reine et roi de la fête. Leur cour bruyante et dissipée.

On a bu, on a ri, on a fait des discours, des photos. On a chanté, toujours très fort, parfois très faux. Le banquet a duré longtemps. On a raccompagné enfin les plus âgés, et couché les bébés dans leurs petits berceaux, à l'arrière des voitures aux vitres grandes ouvertes. Jamais loin de l'oreille attentive des mères.

Et le bal a pu commencer.

Ceux qui ne dansaient pas sont restés sur leur chaise, à grignoter les petits choux en épuisant les dernières bouteilles. Ils se sont amusés des contorsions des autres. Regardez-la ! Et lui ! Mais comment font-ils ça ? Moi, je ne pourrais plus. Moi, je ne saurais pas !

Les assis ont parlé de tout, de rien, de choses essentielles, la vie chère, le prix du pétrole, qui pourrait nous dire où on va ? L'âge des enfants, et combien ça lui fait au vôtre ? Trente ans ? Mon Dieu c'est incroyable !

Ils ont parlé des mariés, non, franchement, qui l'aurait cru ? Oui mais l'amour, vous savez bien, si ça devait nous prévenir… N'empêche, une bien belle histoire ! Une drôle d'histoire, oui ! Moi, vous savez, pour tout vous dire, je n'en suis pas encore revenu !

Les mariés ont valsé avec l'un, avec l'autre, une mamie, une amie, un parent.

Et maintenant, ils dansent tous les deux au centre de la piste.

Par instants il penche la tête et, dans le même mouvement, elle lève les yeux vers lui. Ils se sourient. Ils se murmurent des secrets à l'oreille, et tout le monde les regarde.

Ils s'aiment. C'est une évidence. On ne peut pas ne pas le voir. Il y a des ondes autour d'eux.

Même les moins démonstratifs paraissent attendris, pleins d'une douce jalousie.

C'est beau à voir, des amoureux.

Ils dansent.

Et, petit à petit, d'autres couples se forment, dans ce courant de tendresse qui monte, cette lame de fond. Tsunami de velours, qui vient lentement tout défaire et refaire à rebours.

Des mains se cherchent et des yeux se retrouvent. On voit des regards qui s'embuent, des fronts qui s'abandonnent à l'appui d'une épaule, des tailles enlacées, du désir retrouvé, que l'on croyait avoir oublié, ou perdu.

Mais eux, ils ne voient rien. Ils sont tous les deux seuls au milieu de la fête, cœur à cœur, enlacés, mariés, réunis. Jamais ils n'ont paru si jeunes.

Ils sont vraiment très beaux, tout le monde le dit.

Lui, et ses cheveux blancs.

Elle, et ses cheveux gris.

PAS À PAS

La terre est dure sous ses pieds. Ou bien elle se délite, devient molle et collante. Au hasard des mares de boue, elle l'enduit de glu, avant de le laver jusqu'en haut des chevilles dans les flaques d'eau tièdes qui stagnent au fond des nids-de-poule.

Et c'est de nouveau la poussière, ou le bitume craquelé.

Le tireur de pousse avance, les coudes en arrière, les bras cassés à angle droit, les mains serrées sur les barres de bois qui tiennent la carriole peinte en rouge et bâchée pour protéger le passager du soleil, des averses.

Le conducteur est vieux.

Peut-être il ne l'est pas.

Il a un visage creusé. Tout en pommettes hautes et en orbites caves, un regard plissé d'Oriental, une peau noire d'Africain. Un sourire édenté, tessons d'ivoire jaune, irrégulièrement plantés au milieu des gencives de couleur aubergine. Il est maigre, pas une once de graisse. Du muscle, un peu, et puis des ligaments, des tendons, qui se tendent comme des câbles, frémissent et vibrent sous l'effort.

Le conducteur est concentré, il négocie les cahots, les ornières. Il anticipe au mieux chacun des accidents du chemin. La route est défoncée comme après une guerre.

La cliente est seule, à l'arrière. Elle est assez légère et c'est tant mieux. C'est plus dur lorsqu'ils montent à deux.

La course est longue et il fait chaud. Il y en aura pour presque une heure, autant pour le retour.

Les vélos-pousse vont plus vite et le doublent en permanence. Leurs pneus sont meilleurs, leurs conducteurs plus jeunes. Il est habitué.

Le plus gênant pour lui, ce sont tous les 4 × 4 qui sillonnent la ville, déboîtent au dernier moment, klaxonnent pour un rien. Les Blancs sont impatients, ils n'ont jamais le temps de prendre un peu le temps. Quand un avertisseur rugit à son oreille, il ne sursaute pas. Il fait un simple écart, ou s'arrête, selon. Et c'est un double effort, stopper l'engin puis relancer sa course. Il faut de la technique, pour ne pas s'épuiser. Mais il a une vie de pousse dans les bras, une vie de bête de somme.

Une vie dure, pour un homme.

Il épargne ses roues, ses essieux, ralentit par moments, monte sur le trottoir si la chaussée est noyée sous les flaques. Il va d'un pas égal, chaque fois qu'il le peut.

Son pousse, c'est sa seule richesse, son outil de travail.

Le riz se paie grain à grain, pas à pas. Le riz se gagne à la force des jambes et des bras.

Sans effort, il ne mange pas.

La cliente va au marché. C'est à l'autre bout de la ville.

Brinquebalée dans tous les sens par les secousses, à l'ombre déjà chaude de la capote rouge, la cliente vêtue de blanc s'imprègne de tout ce qu'elle voit, échoppes bariolées aux étals minuscules, foule de gens qui passent, discutent en petits groupes au bord des avenues. Hommes assis à l'ombre des arbres, mères portant leurs bébés sur le dos, écolières en uniformes. Blancs à l'arrière des taxis ou de 4 × 4 flambant neufs. Vieilles maisons cossues. Allées qui devaient être belles, à l'ère coloniale. D'une beauté lisse et rangée, aseptisée. Occidentale. Ici et là, les arbres abattus par le dernier cyclone sont tombés sur des murs de clôture, qui se sont éboulés à leur tour, sous le poids. Deux hommes élaguent l'un d'entre eux à la hache, les coups résonnent, irréguliers. Le bois proteste à chaque entaille.

Les publicités peintes à la main sur les murs ont des airs surannés, stylo Bic et Vache qui rit, jaune, rouge, orangé, bleu dur.

Le conducteur poursuit sa route sans hésiter aux carrefours, il va à Bazar Bé.

La cliente va au marché. Elle ne connaît pas la durée du trajet, elle vient tout juste d'arriver. Elle se sent un peu perdue. C'est un égarement propice, elle peut rêver.

Tout la fascine, tout l'étonne.

Ce matin, elle a hésité, prendre un taxi, un vélo-pousse, ou un pousse tiré à bras ?

Elle a choisi cet homme-là, et lorsqu'il lui a demandé où elle voulait aller, elle lui a dit le seul nom dont elle se souvenait : Bazar Bé, le grand marché.

Elle croyait se souvenir que le marché n'était pas loin. Elle y était venue en 4 × 4, un matin.

Un 4 × 4 de Blanc pressé.

Mais maintenant qu'elle y retourne au pas lent de son conducteur, la distance n'est plus la même. Elle se compte en souffle, en peine et en sueur.

La cliente se demande ce qui est légitime, acceptable, dans le curieux attelage qu'ils font, cet homme et elle. Lui s'échinant. Elle, alanguie comme un roi fainéant.

Elle lui donne du travail, c'est vrai. Mais dans le même temps, elle l'use à la tâche.

Qu'est-ce qui est bien ?

Qu'est-ce qui est mieux ?

En approchant du grand marché, le revêtement se fait moins hasardeux et les passants se pressent, plus nombreux. Mélange surprenant d'Afrique et d'yeux bridés. Malgaches, Karanes, Chinois, peaux cuivrées et peaux chocolat.

Et les Blancs qui font grain de sel dans la foule de poivre dense.

Les piétons traversent au hasard, à tout bout de champ, n'importe où, entre les voitures et les camionnettes. Le conducteur est vigilant.

Arrivé au bazar, la cliente lui désigne la grande pharmacie. Elle choisit cet endroit comme point de repère, pour ne pas se perdre, au retour. Un coup d'œil par-dessus son épaule, et le tireur de pousse traverse la chaussée, va se garer à l'endroit dit. Il détache une des deux ficelles qui tiennent la capote, et laisse doucement reposer les bras du pousse sur le trottoir, pour que la cliente descende. Elle lui demande de l'attendre. Elle s'éloigne.

Il ôte la poussière sur le siège, puis il s'assied sur une marche.

Lorsque la cliente revient, elle a acheté un panier en paille tressée, pour y ranger ses quelques courses, des légumes, des fruits surtout. Il voit qu'elle cherche du regard, entre tous les tireurs de pousse. Il s'avance, lui fait un signe un peu timide. Elle sourit. Elle l'a reconnu.

Alors il reprend de lui-même le joug, fait faire demi-tour au pousse, vient se placer à côté d'elle. Elle s'assied. Elle veut rentrer.

Deux fois pourtant, en cours de route, elle le fait arrêter devant d'autres boutiques. À chaque fois, pendant qu'elle marchande en se trompant sur le cours des monnaies, entre ariarys et francs malgaches, il époussette avec soin la banquette, avec une brosse usagée.

Puis il attend.

Puis il repart.

Aller et revenir, patienter, repartir, voilà toute sa

vie, tous les jours de sa vie, tant que ses bras, ses jambes, auront la force de tenir.

La cliente paye ce qu'elle doit.

C'est une somme dérisoire que l'homme reçoit en souriant, avec un grand remerciement.

Puis elle retrouve avec plaisir la fraîcheur de la maison claire. Elle pense un instant au vieux tireur de pousse. À cause d'elle le pauvre doit être épuisé, maintenant.

Elle se fait un thé, qu'elle boit lentement, à l'ombre de la véranda.

La terre est dure sous ses pieds et le tireur de pousse avance.

Le soleil l'écrase, à présent. Du regard il cherche un client qui voudrait retourner en ville.

La course était longue, bien payée. Ce soir, demain, pendant dix jours au moins, il mangera.

C'est une bonne matinée.

TOUT VA BIEN

J'ai traversé le hall.

Le gardien, derrière sa vitre, m'a saluée, discrètement. Il ne s'est pas levé, ce n'était pas la peine. Je connais le chemin.
Je suis venue, déjà.

Ton nom est sur la porte, et je connais le code. Quatre chiffres à taper, et puis la lettre A.
Le petit salon dort, dans sa lumière obscure. Il y a deux divans, un bouquet de fleurs sur une table basse, et je note au passage la boîte de mouchoirs.
Face à l'entrée, la porte de la chambre.
Tu ne sais pas que je suis là. Je ne sais pas si tu m'attends.
Je m'oblige à accomplir, à gestes mesurés, les actes ordonnés d'une vie ordinaire.
Ouvrir mon blouson, enlever mon écharpe, les poser là, sur l'accoudoir. Sans hâte et sans évitement. J'ai mis des couleurs vives, un long collier baroque, et c'est en ton honneur.

J'entrouvre enfin, et j'entre.
Tu es là.

Il y a tant de calme, autour de toi.

Je suis venue te dire au revoir, adieu ? Je ne sais pas. J'ai perdu toute certitude.

Je trouverai les mots, ou pas. Je ne vais pas les débusquer, les forcer. Pour quoi faire ?

Je parlerai, tu comprendras.

Je me dis que tu comprendras.

Je vais laisser venir, monter à la surface, dans un murmure haché de fissures, de failles, où le discours plonge et se noie, et revient parfois sur ses pas. Que la pensée se trouble, que je lâche le fil, cela ne compte pas : même si je bredouille, et même si j'oublie ce que je voulais dire, ce qui était *important*, tu n'interrompras pas mon petit bruissement.

Les mots affleureront, libérés de la source, trop longtemps retenus. Et qu'ils aillent leur cours, de ruisseau ou de fleuve. Il ne sera question que d'amour.

Quelqu'un qui serait près de nous, dans la pièce, n'entendrait de mes confidences que ce chuchotis apaisant. Qu'il se rapproche encore, il s'ennuierait de ces paroles insignifiantes, et pourtant essentielles, de celles qu'une mère peut dire, en consolant. Une mère, dont j'ai les gestes, car la tienne ne viendra pas.

Je nous rassure en de pauvres tendresses. Une main sur les tiennes, si pâles et si soignées. Arranger une mèche, lisser le pli du col. Te dire que tu es beau, dans ton costume sombre.

Je n'aurais jamais cru que ce soit si facile de venir te voir là, la veille du départ.

Te voir ainsi et demeurer tranquille.

Tout va bien.
Ce n'est rien.

Le temps ne compte pas pour toi qui, depuis quelques jours, n'en as plus la mesure.

Pour l'instant, que cet instant dure.

Moi, je saurai quand il me faut partir, quand je dois refermer la porte, rebrousser le couloir qui me ramène au hall, saluer le gardien, retrouver le parking, le ciel et sa lumière. Et le froid de novembre qui ne me lâche pas.

Reprendre – jusqu'à quand – le cours des habitudes, l'affrontement des solitudes. L'enchaînement sans fin de demain après hier.

Revenir à cette vie-là.

Je n'ai pas peur de ton demi-sourire, de tes yeux clos sur leurs secrets. Je n'ai pas peur de la distance qui éloigne le bateau du quai, s'étire vers l'éternité. Je ne sais pas de quoi j'ai peur : je me sens calme. Pas plus de craintes que de larmes. De la tendresse, voilà tout.

J'ai tant de choses à dire, et j'ai si peu de temps.

Comment se résumer? Et te parler de toi, et te parler de moi, si proches étrangers. Comment pourrais-je me convaincre, au jour suivant le dernier soir, que les mots jetés là n'iront pas au hasard. Qu'il n'est jamais trop tard, même une fois franchi le seuil gris de l'absence.

Je voulais simplement qu'on fasse connaissance, enfin, et que tu saches qui je suis. Te raconter ma vie, mais par la face nord, sur cet autre versant dont jamais je ne parle, car parler serait un effort.

J'observe autour de moi, je m'oblige, j'insiste. Je me force à me souvenir.

Il y a six chaises au dossier droit et à l'assise inconfortable, pour ceux qui viendront te saluer. Des chaises sur lesquelles on se tient mal assis, raide comme un enfant puni.

Il y a des murs blancs. Des tréteaux.

Et ce berceau de bois dans lequel tu reposes.

Ce beau bouquet de fleurs, dont j'ai choisi moi-même les couleurs, rouge sombre et jaune safran. C'est un hommage à la lumière. Un rappel des déserts, et des saris d'Orient. Comme un laissez-passer pour l'ultime voyage. Une courte brassée de soleils éclatants.

Fais-en provision, s'il te plaît. Je crains que la chaleur ne manque, en ces contrées.

Je te regarde une dernière fois. Tu as changé, mais pourtant tu es là, caché dans la statue d'ivoire. Je trouve à ton visage une expression étrange, un peu moqueuse, comme si tu prenais tes distances pour nous déshabituer de toi.

Ne pas s'arrêter à cela, aux traits plus tout à fait les mêmes, au glissement subtil que la fin nous inflige, qui fait de nous le masque de nous-mêmes, nous déguise en gisants, silencieux et froids. Essayer de se souvenir, tant que subsiste la présence. Emporter ce piètre butin, la courbe des sourcils, la forme de tes mains, le gris de tes cheveux plus légers que des plumes.

Faire le deuil, ici, de ce qui n'est plus là.

J'ai perdu le son de ta voix.

J'ai perdu ton regard, mais pas son insistance, quand je venais te voir et que d'un geste, un seul, tu exigeais de tout savoir.

La mémoire est un bien qui ne prend sa valeur que lorsqu'elle se partage.

Si la parole est sans écho, elle n'atteint pas l'autre versant. Elle ne prend pas le vent, les courants ascendants. Elle s'abîme. Si la parole est sans écho, elle n'est plus qu'un discours vide, souvenir du passé, vestige. Bientôt, sans doute, elle n'est plus rien.

Tu pars en emportant tellement de réponses à toutes les questions que je ne posais pas.

Qui me dira le nom de ce fleuve, là-bas ? De ce temple dans les montagnes ? Qui pourra me nommer les villes traversées lorsque j'étais enfant, ces pistes poussiéreuses en Turquie, en Iran ? Le nom de ce fjord, en Norvège ? Le nom de cet aria qui s'envole en arpèges ?

Le prénom de tes grands-parents ?

Demain, il y aura des pleurs, des musiques.
Demain sera le jour de toute la famille.
Ce soir, c'est juste toi et moi.

Le gardien est parti depuis longtemps, déjà. Il n'y a rien à garder ici, que le silence.

Le hall est froid.

C'est toi qui es parti, mais c'est moi qui m'éloigne, le cœur serré sur cette idée qui blesse : tu vas rester tout seul dans cette pièce nue, dans cette ville mal connue qui n'a jamais été la tienne. Et j'aurais dû rester, peut-être. Un peu plus.

Il n'est plus temps.

Je ne sais pas comment on dit adieu au père, lorsqu'on reste sans lui du côté des vivants.

IL NE FAIT JAMAIS NOIR EN VILLE

— Mon Dieu, ma pauvre, quel changement ça va vous faire, quand j'y pense!…

— Soyez courageuse, allez! On pensera bien à vous, on prendra des nouvelles…

Liliane entendra encore longtemps leurs voix.

Elle reverra toujours leurs visages un peu rouges, les mains calleuses, les robes à fleurs tombant à mi-mollets, les bottes en caoutchouc, les châles tricotés, en laine rose ou grise.

Elle se souviendra de ce chahut des poules, au poulailler. Du coq qui s'égosille et qui fait son glorieux. Du fracas de la pluie tombant sur la verrière.

Elle réinventera à ses instants perdus le dallage brun de la cuisine, la fenêtre au-dessus de l'évier, les rideaux au crochet et le carreau fêlé.

Le ciel bas. Toujours bas. Toujours terne et pesant.

Lucette, et son bouquet de lilas du jardin.

— C'est pour que vous emportiez un peu de chez nous…

Paule, qui lui tendait sans rien dire un petit rouleau de fromages de chèvre dans du papier huilé, et deux gros pots de confiture d'airelles, qu'elle avait faite elle-même.

Josépha, et ses yeux mouillés, et son rire qui tressautait entre deux cahots d'émotion.

Et la voix de Pascal, son fils.

Cette voix grave et rauque de fumeur, toujours un peu pressée, qui lui rappelle celle de son mari, décédé depuis bientôt dix ans d'une mauvaise grippe.

— Il faut y aller, maman…

Pascal, qui sortait les valises et les sacs sur le seuil, allait les entasser dans le coffre de la voiture, garée dans la cour de la ferme, puis revenait, pressant le pas sous la pluie qui battait le tambour.

Pascal, qui soulevait entre ses larges bras le pot d'hortensias bleus qui ornait le perron, et soupirait.

— Tu veux vraiment le prendre ? Tu en es sûre ?

Elle n'est sûre de rien.

De ça, elle était sûre.

Elle avait mis son chemisier parme et son beau tailleur bleu marine. Il avait dû s'élargir, il flottait à la carrure. Ou alors, elle s'était rétrécie. Ses amies l'avaient admirée, néanmoins.

— Mais que vous êtes belle, Liliane !

— Et avec ce foulard, c'est d'un chic ! Ah, votre fils peut être fier de vous !

— Vous en ferez tourner, des têtes, en ville !

Rire flûtés. Regards complices, tout plissés de malice.

Il était encore très tôt, il faisait froid, le temps s'adoucirait un peu, sans doute, dans le cours de l'après-midi.

Au moment des adieux, le ciel s'était refermé brusquement, tout gonflé de menaces, prêt à crever de rage, à verser son averse à grands flots sur les champs. Rien de nouveau, pourtant : il n'avait pas arrêté de pleuvoir, depuis dix jours au moins.

Et ce vent, ce vent ! Mon Dieu, ce fichu vent !

Là où elle allait, Pascal disait qu'il faisait beau. Moins froid et moins humide.

Ce matin-là, son fils l'a installée à l'arrière de la voiture (elle a peur, quand elle monte devant). Il lui a bouclé sa ceinture. Et ensuite, il a dit avec douceur, mais fermeté :

— Maman, on a assez traîné, on y va, maintenant. Ce n'est pas la porte à côté, on a six heures de route à faire. Au moins.

Puis il s'est tourné vers les voisines, sourire aux lèvres, un petit salut pour chacune.

— Lucette… Josépha… Madame Gautier…

Pascal a toujours appelé Paule par son nom de famille. On ne sait pas pourquoi.

— Je remonterai voir la maison, vers Pâques. Pour les poules, c'est entendu, je peux vous les confier, Josépha ?

— Oh je les soignerai bien, va ! Elles seront choyées comme les miennes !

— Mais ce sont les vôtres, à présent !

Quelques mots de peu d'importance, qui empêchent le fil de rompre tout à fait.

— Ah ! Tant que j'y pense : j'ai vu qu'il y avait quatre tuiles à changer, dans le hangar. Rien de grave, mais je demanderai à Pécot de passer, alors, ne vous inquiétez pas si vous trouvez un de ses ouvriers sur le toit !

— C'est entendu !

— Bien, je vous dis au revoir…

Josépha a mal étouffé un sanglot.

— Alors ça y est, Liliane ? Vous… vous nous quittez vraiment ?

Elle s'est engouffrée à moitié à l'arrière de la voiture, a plaqué Liliane contre ses seins énormes. Elle lui a tapoté nerveusement le dos, lui a malaxé le bras comme une pâte à pain, en répétant :

— Ça va aller, ça va aller ! Vous verrez, vous y serez bien…

Tout son corps criait le contraire.

Liliane n'a rien dit.

Lucette et Paule, côte à côte, immobiles, se rassuraient de l'épaule, chacune se calant sur l'autre, un peu de biais. Elles se frottaient les mains, les croisaient dans leur dos, les cachaient dans leurs poches. Elles piétinaient sur place. Deux vieilles éléphantes foulant leur chagrin en silence, sous leurs larges plantes de pied.

— On vous écrira, vous savez !

— On vous téléphonera, même !

— Oui ! Oui ! Et, autant, si ça se trouve, on viendra vous voir, pas vrai, Paule ?

— Eh oui, bien sûr, si ça se trouve…

Liliane a baissé la vitre. Elle leur a offert un visage serein. Elle a gardé ce silence, ce calme, qui sont les siens depuis quelques semaines. Depuis que son fils était venu lui faire part de ses dispositions, un soir.

— Tu ne peux plus rester là, toute seule, maman.

— Mais je ne suis pas seule ! Il y a Josépha, et Lucette. Et Paule !

— Maman, Lucette a quatre-vingt-quatre ans…

— Quatre-vingt-deux !

— … Pardon : quatre-vingt-deux ! Josépha en a presque autant, et Paule, guère moins. Et il n'y a plus personne, ici. Ça devient un vrai désert. La maison se délabre, tu ne rajeunis pas, et puis, après ton col du fémur, cet hiver… Et s'il t'arrivait quelque chose ?

C'est vrai que le village s'est réduit comme peau de chagrin, en trente ans.

Plus d'école, d'abord. Plus de commerces, ensuite, ni d'agence postale. Partis, le boulanger, le coiffeur, l'infirmière. À la retraite, et jamais remplacés. Le cafetier est mort, l'épicerie a été reprise par un couple de jeunes. Ils sont gentils, mais on sent bien qu'ils ne vont pas rester : la petite a une mine de papier mâché, elle est toujours entre deux rhumes. Son mari se lève tous les matins à l'aube pour aller refaire ses stocks au marché de Saint-Marcel, à trente kilomètres. Le soir, il se couche à pas d'heure, et tout ça pour les trois pelés, deux tondus, qui entrent dans sa boutique? Personne n'y résisterait. On a beau s'inventer des prétextes pour aller leur acheter quelque chose, tout ce qu'ils vendent coûte cher et puis, surtout, dans le hameau, chacun cultive ses légumes, et fait ses poules et ses lapins. Ils s'en iront, c'est sûr. Bientôt il n'y aura plus que le camion du boucher qui viendra jusqu'ici, chaque mardi matin. Et le livreur de pain, deux fois dans la semaine.

Ce soir-là, son fils, calé sur le bord de la table, son éternelle cigarette au coin des lèvres, lui démontrait avec patience qu'elle devait quitter sa maison.

Liliane le regardait et pensait : "Qu'il est grand!"

Et même, sans oser le formuler vraiment : "Qu'il est vieux…"

Elle détaillait les cheveux gris, la stature imposante, le ventre un peu proéminent, les grandes mains soignées aux ongles coupés ras, les chaussures cirées, la chemise impeccable.

Elle le revoyait à cinq ans, à dix ans, petit bouseux farceur, grand escaladeur de clôtures, voleur de pommes du voisin, pêcheur de goujons dans la Rueille.

Son fils, père de quatre enfants et deux fois divorcé. Son Pascal, chef d'une belle entreprise de transports, qui venait la chercher pour aller vivre ailleurs, l'enlever comme une fiancée.

— J'habite beaucoup trop loin de toi, maman! Et avec le boulot, je n'ai plus le temps de venir un week-end par mois comme avant. En ville, on se verrait plus souvent, tu comprends? Ce serait très facile. Et tu serais bien installée.

Elle n'avait jamais vécu en ville.

Elle n'avait jamais vécu ailleurs qu'ici.

— Je t'ai trouvé une petite résidence, toute neuve, avec des arbres autour. C'est calme, tu verras, et les gens sont gentils. Tu vivras à moins de cent mètres de mon appartement, tu pourras venir quand tu veux. Tu seras au cinquième, avec une très jolie vue sur le parc.

— Au cinquième ?!

Mon Dieu, pourquoi pas sur la lune ?

— Il y a un ascenseur, ne t'en fais pas. Tu seras juste à côté des commerces. Si tu veux aller te promener, il y a un arrêt de bus à la porte de la résidence. Et même un cinéma à deux pâtés de maisons.

Commerces. Ascenseur. Cinéma.

Les mots résonnaient dans sa tête, y voletaient comme des oiseaux gris. De doux oiseaux de nuit dont elle n'aurait pas pu bien cerner les contours. Des ombres, imprécises.

Le cinéma, elle y était allée cinq six fois dans sa vie, à Saint-Marcel, avant qu'il ferme. Il y a longtemps.

Pascal continuait :

— Il y a des restaurants, aussi. On pourrait y aller, de temps en temps, si ça te fait plaisir.

Elle avait ri.

La dernière fois qu'elle était allée manger au restaurant, c'était pour le premier mariage de Pascal. En fait, non. C'était pour l'enterrement de Bernard, son mari. Mais ça, ce n'était pas un souvenir de fête.

Aller au restaurant, quelle idée !…

Pascal avait rebondi sur son rire :

— Tiens, juste à côté de chez toi, il y a même un excellent chinois ! Tu as déjà mangé chinois ? Avec des baguettes ?

Il savait bien que non, ce voyou ! Il avait toujours su la séduire, la faire rire.

En parlant de la résidence, il venait de dire "chez toi".

Baguettes. Chinois. Restaurant.

Elle n'avait rien dit. Qui ne dit mot consent.

Les jours avaient dévalé les uns après les autres, ensuite, jusqu'à cet instant du départ.

Liliane s'était préparée à quitter la maison dans laquelle elle avait vécu plus de soixante-cinq ans. Depuis qu'ils s'étaient mariés, Bernard et elle, lorsqu'elle avait dix-neuf ans.

Soixante-cinq ans d'horizon limité à la barrière du jardin, au grillage des poules, à la haie de rosiers qui avait encore pris les pucerons, cette année. Chaque année, c'est pareil. Mais qui les traiterait, quand elle serait partie ?

Tant d'années de pavé à laver, de lessives à faire, de lapins à nourrir, tuer, dépouiller. Cuire. De carré de terrain à biner, sarcler, bêcher. Toute une vie de potager.

Et puis, des mois entiers de vaisselle à la main, pas toujours avec de l'eau chaude. Le chauffe-eau, on l'avait changé trois fois déjà. Le dernier avait presque vingt ans.

Les chauffe-eau sont comme les gens, ils vieillissent, ils s'essoufflent. Ils s'encrassent.

Un beau soir ils s'éteignent et renoncent à se rallumer.

On les change. Voilà.

Tant d'années de bois à ramasser, rentrer, sortir de la réserve, pour chauffer les hivers toujours un peu plus longs, jusqu'à l'arrivée du chauffage central, un cadeau de son fils pour ses soixante-dix ans. Il lui avait offert une télévision, quelques années avant. Lorsqu'elle était tombée en panne il y a trois ans, Liliane ne l'avait pas fait réparer. Il n'y avait plus rien d'intéressant à voir, que des choses bruyantes, violentes, agitées.

Liliane avait préparé ses valises en songeant à tout ça. Elle avait tout contemplé d'un autre œil. L'œil de celle qui part pour ne plus revenir.

Une existence linéaire, soirées courtes et matins frileux. Toute sa vie entre ces murs, avec vue sur les haies, les champs, le hangar, la remise de Paule, les salades de Josépha, le clapier de Lucette. Quatre amies.

Quatre veuves.

Elle avait fait le compte impossible des soirs de solitude, de silence et de noir. Cette obscurité dense, immense, des nuits à la montagne.

Lorsqu'elle avait annoncé qu'elle s'en irait avant Noël, ses amies avaient versé des larmes.

La ville, c'est si loin, si bas, si plein de gens, de bruit, de voitures, de pollution, et tout ce qui s'ensuit.

Liliane n'avait rien dit.

Elle avait fait ses bagages, avec un soin tranquille.

Que faut-il garder d'une vie ? Les albums de photos, des bibelots, des lettres. Les habits les plus beaux. Ceux qui sont confortables. Le fauteuil.

L'hortensia.

Quand la voiture a démarré, ce matin-là, elle s'est retournée.

Elle a dit au revoir à Lucette et à Paule, serrées sous le même grand parapluie bleu marine, châles volants tout autour d'elles, retenus d'une main crispée, pieds dans les flaques.

Josépha a fait mine de trottiner un peu derrière la voiture, mais avec ses pauvres jambes, elle n'a pas couru bien longtemps. Au portail, elle s'est arrêtée.

Liliane lui a fait un dernier signe.

Elle a regardé la maison s'éloigner, se détacher d'elle au bout de quelques mètres, quelques battements de l'essuie-glace arrière. Deux trois virages, et puis c'est tout.

Ensuite, elle s'est calée face à la route, bien assise dans la voiture aux larges fauteuils de cuir roux. Elle a contemplé les yeux de son fils dans le rétroviseur. De beaux yeux verts, avec de longs cils noirs, comme en avait son père.

La ferme ne sera pas vendue. Elle en est soulagée.

Son fils voudrait la retaper, plus tard, faire des "chambres d'hôtes". Les gens viennent voir la campagne en touristes, à présent.

Le monde change.

Comme il change !

Tout au long de la route elle a ouvert les yeux, elle a vu défiler les villages, les bourgs, les zones industrielles. Elle a vu passer des trains et des avions. Elle s'est sentie emportée par ce grand tourbillon de vie moderne, qu'elle ne soupçonnait pas fiévreuse et folle à ce point-là.

Lorsqu'ils ont passé le panneau de la ville où elle vivrait désormais, Pascal s'est exclamé :

— Voilà, maman, on y est !

Mais ils ont continué à rouler un moment, par de longs boulevards cernés de hauts immeubles, des avenues plantées d'immenses marronniers, des places, d'autres places, et d'autres avenues. Des maisons. Des maisons. Des rues. Encore des rues.

C'était interminable.

En arrivant enfin au centre-ville, Liliane a été surprise par les lumières. Réverbères, néons, publicités, vitrines et décorations de Noël.

Et puis par ce mouvement incessant des passants, par centaines, hommes, femmes, enfants, marchant sur les trottoirs, installés aux terrasses des cafés.

Encore dehors, à cinq heures du soir ?

À la ferme, elle aurait déjà attaché ses volets, elle préparerait sa soupe.

Pascal lui faisait la visite guidée :

— Ce grand bâtiment, là, c'est le musée d'Art contemporain. Il y a de belles expositions, il faudra qu'on aille y faire un tour. Ça, c'est la nouvelle médiathèque, et là, sur ta gauche, le dôme de la basilique. Tu le vois ? Si tu prends ce boulevard et que tu continues tout droit, tu arrives au siège social de l'entreprise. Je t'y amènerai, un de ces jours. Je te montrerai aussi les entrepôts, sur les quais. On s'est agrandis depuis peu, tu verras, c'est impressionnant.

Il dit tout ça d'un ton égal. On dirait que rien ne peut plus le surprendre.

Il est si loin, décidément, le petit garçon qui conduisait le tracteur à dix ans, et qui aidait son père aux récoltes.

Il a fait les écoles.

Liliane a brusquement l'impression de voir son fils pour la première fois. Lorsqu'ils se présentent à l'accueil, dans la résidence, elle découvre sa façon d'être avec les autres, de leur parler. Ce mélange d'assurance pressée et de courtoisie. Et les gens sentent bien à qui ils ont affaire : ils lui répondent avec empressement.

Il n'en abuse pas, il est simple, poli.

Liliane est fière.

Lorsque Liliane découvre sa chambre, elle a un temps d'arrêt.

Tout est neuf. Tout est clair. Les meubles sont en bois couleur de miel, il y a de la moquette bleue.

— Ça te plaît ?

Elle ne dit rien, elle pose sa valise sur le lit, son fils l'aide à placer ses vêtements dans le placard. Il y a des rangements partout, rien ne dépasse.

Pascal ajoute :

— Tu as vu, c'est très fonctionnel !

Il ouvre grand la porte qui donne sur le balcon, pose un châle sur les épaules de Liliane et l'entraîne avec lui. Il lui montre le parc, en face, qui commence à couler doucement dans la nuit mais reste pointillé de petites lueurs, tout le long des allées.

Liliane s'étonne.

— Ils laissent tout le temps brûler les lumières, ici ? Ils n'éteignent jamais ?

Pascal sourit :

— Eh non, maman ! Il ne fait jamais noir, en ville.

Pascal redescend jusqu'à la voiture, fait deux ou trois voyages, et remonte enfin l'hortensia.

Puis il amène Liliane à la cafétéria.

Liliane se sent un peu gênée de n'avoir rien à faire d'autre que choisir son repas. Et puis il y en a trop pour elle qui, le soir, ne mange rien ou presque !

Pascal comprend son inquiétude, la rassure aussitôt.

— Tu n'es pas obligée de tout prendre, tu n'es pas obligée de finir ton plateau : tu fais ce que tu veux, maman !

Ce qu'elle veut ?!

La salle à manger est remplie de personnes âgées, tirées à quatre épingles, coiffées et pomponnées. Liliane est contente d'avoir mis son tailleur. Beaucoup de pensionnaires semblent bien se connaître, et même être amis. Tout au fond de la salle, près des plantes vertes, il y a deux femmes qui rient. L'une d'entre elles ressemble à Josépha. Certains la dévisagent, mais sans ostentation. Un petit hochement de tête cordial, voilà tout.

Pascal chipote dans son assiette, il a l'air fatigué, il s'excuse : il est debout depuis cinq heures ce matin. Demain il a des rendez-vous de huit heures à onze heures.

Ce soir il va se coucher tôt.

Revenus au cinquième, Pascal ouvre la porte, s'efface pour laisser Liliane et dit :

– Je vais te laisser te reposer, je reviendrai demain en fin de matinée, nous irons faire un tour en ville… Je pensais qu'on pourrait déjeuner sur le port ?

Pascal l'embrasse et referme la porte sur lui.

Liliane s'adosse un instant à la porte. Elle regarde autour d'elle.

Elle enlève ses chaussures, ses bas, pose enfin ses pieds nus sur la moquette bleue.

Elle ferme les yeux. C'est tiède. C'est moelleux.

Là-bas, elle aurait enfilé ses chaussettes de nuit, pour ne pas se geler les pieds sur les carreaux.

Le doux ronron de l'avenue la berce, étouffé par le double vitrage.

À la ferme, le silence du soir la jetait dans la tombe avant l'heure, faisait glisser sur elle la pierre du caveau.

La salle de bains et les toilettes, un vrai rêve de confort.

Là-bas, une fois couchée, si l'envie la prenait, elle devait redescendre pour aller aux WC, en faisant attention de ne pas rater une marche. Alors, depuis longtemps, elle faisait pipi dans un pot de chambre en faïence, qu'elle gardait dans sa table de nuit, comme avait fait sa mère avant elle, et sa grand-mère, aussi. Et se baisser ainsi, à son âge, c'était bien mal commode, et même douloureux.

Liliane tire la chasse qui fait un bruit léger, délicat, puis s'arrête aussitôt, sans bruit de plomberie ni coups dans les tuyaux.

Ensuite, elle appuie sur le bouton qui descend le volet métallique, comme le lui a montré Pascal. Ça fait vvzzzz, et le ciel de la ville tire sa révérence.

Chez elle, les volets étaient lourds, et leurs bords écaillés lui faisaient quelquefois cadeau d'échardes dans les doigts.

Liliane se glisse entre les draps. Elle éteint la veilleuse. Elle ferme les yeux.

Là-bas, chacune dans ses ombres et dans sa solitude, Paule, Lucette et Josépha doivent penser à elle, et moudre à petit grain l'inquiétude qui les tiendra éveillées cette nuit.

Liliane se dit que, demain, elle n'aura pas à se lever trop tôt pour aller donner du grain aux poules. Demain, *elle va déjeuner sur le port...*

Elle laisse échapper le rire qu'elle cachait depuis ce matin, et se dit qu'à présent, enfin, elle va vivre !

TABLE

B&BEL

Extrait du catalogue

OUVRAGE RÉALISÉ
PAR L'ATELIER GRAPHIQUE ACTES SUD
REPRODUIT ET ACHEVÉ D'IMPRIMER
EN DÉCEMBRE 2015
PAR NORMANDIE ROTO IMPRESSION S.A.S.
À LONRAI
POUR LE COMPTE DES ÉDITIONS
ACTES SUD
LE MÉJAN
PLACE NINA-BERBEROVA
13200 ARLES

DÉPÔT LÉGAL
1re ÉDITION : FÉVRIER 2016
No impr. : 1504974
(Imprimé en France)